TADAO ANDO
PER
FRANÇOIS PINAULT

TADAO ANDO
FOR
FRANÇOIS PINAULT

FRANCESCO DAL CO

TADAO ANDO
PER · FOR · POUR
FRANÇOIS PINAULT

DALL'	FROM	DE
ILE SEGUIN	ILE SEGUIN	L' ILE SEGUIN
A	TO	A
PUNTA DELLA	PUNTA DELLA	PUNTA DELLA
DOGANA	DOGANA	DOGANA

palazzo grassi
FRANÇOIS PINAULT
FOUNDATION

Electaarchitettura

coordinamento generale / publishing coordination / coordination générale
Giovanna Crespi

coordinamento redazionale / editorial coordination / coordination éditoriale
Virginia Ponciroli

design
Tassinari/Vetta
Paolo Tassinari
con / with / avec
Thomas Bisiani

redazione / editor / rédaction
in.pagina s.r.l.

coordinamento tecnico / technical coordination / coordination technique
Lara Panigas

La pubblicazione di questo libro non sarebbe stata possibile se a essa non avessero collaborato con la massima dedizione quanti lavorano a vario titolo a Palazzo Grassi a Venezia e nella redazione di Electaarchitettura a Milano. In particolare, l'editore ritiene opportuno ringraziare, oltre al fotografo Andrea Jemolo, Marina Rotondo e Paolo Tassinari che hanno seguito in ogni fase la realizzazione di questo progetto.

L'editore

The publication of this book would not have been possible without the dedication and commitment of those who work at Palazzo Grassi and in the editorial offices of Electaarchitettura in Milan. The Publisher's thanks go in particular, besides the photographer Andrea Jemolo, to Marina Rotondo and Paolo Tassinari, who have been closely involved in each stage of this project.

The Publisher

La publication de ce livre n'aurait été possible sans la collaboration dévouée de ceux qui travaillent, à divers titre, à Palazzo Grassi à Venise et à la rédaction d'Electaarchitettura à Milan. L'éditeur tient à remercier en particulier, après le photographe Andrea Jemolo, Marina Rotondo et Paolo Tassinari qui ont suivi avec attention chaque étape de la réalisation de ce projet.

L'éditeur

traduzioni / translation / traduction

Suzel Berneron, Hélène Carquin,
Tina Cawthra, Giulia Galvan,
David Graham, Floriana Pagano,
Jeremy Scott, Delphine Trouillard

www.electaweb.com

Il Presidente di Palazzo Grassi François Pinault desidera esprimere la sua gratitudine a tutti coloro che con impegno e dedizione hanno reso possibile in soli quattordici mesi la realizzazione di un ambizioso progetto: il restauro dello storico complesso monumentale di Punta della Dogana e l'apertura di un nuovo centro d'arte contemporanea.

Si ringraziano in particolare:

per il gruppo di progettazione: Tadao Ando con Kazuya Okano, Antoine Müller Moriya; con l'assistenza di Equilibri S.r.l., Eugenio Tranquilli, coordinamento generale, Verdiana Durand de la Penne, referente di progetto, e Nicolò Vistosi, assistente di progetto;

per la direzione lavori: Adriano Lagrecacolonna, progettazione impianti, con la collaborazione di Sergio Rigato, Riccardo Garavello e Giuseppe Bianchin; Tecnobrevetti, Giandomenico Cocco, progetto e direzione lavori strutturali, e Alberto Mazzuccato, consulenza geologica, Luigi Cocco, progetto esecutivo e direzione lavori opere edili, con la collaborazione di Nicola Bernardi, Alberto Simioni, Alberto Anselmi, Marina Frighi, Alessandra Guida e Monica Maschio; Ferrara-Palladino S.r.l., Pietro Palladino e Cinzia Ferrara, progetto di illuminazione, con l'assistenza di Paolo Spotti;

per l'assistenza professionale al committente: Venezia Ingegneria, Fausto Frezza, consulente tecnico e collaudatore in corso d'opera, e Celio Fulin, coordinatore per la sicurezza, con la collaborazione di Serena Semenzato, e Mirko Chinellato; Giorgio Orsoni e Maria Grazia Romeo, consulenza legale;

per il general contractor: Dottor Group S.p.A., Piero Dottor, presidente, Roberto Dottor, direzione tecnica, Paolo Bonan, responsabile di commessa, Damiano Rossetti, pilotaggio, Roberto Trevisiol, capo cantiere, con la collaborazione di Manuel Franceschin, Romina Illuzzi, direzione artistica e restauro, con la collaborazione di Denis Fardin, Giancarlo Rizzato, contabilità, Andrea Teo, controllo qualità, Alessio Dottor, coordinamento servizi generali, Vanessa Dal Mas, responsabile salute e sicurezza, Marco Tonon, responsabile logistica;

per gli impianti elettrici: Fiel S.r.l., e in particolare Radames Doretto; per gli impianti meccanici Fiorin S.r.l., e in particolare Antonio Fiorin; tutte le società che hanno partecipato all'esecuzione dei lavori;

e inoltre Alberto Torsello, Sat Survey S.r.l., rilievi geometrici e topografici, con la collaborazione di Anna Girolami e Alessandro Sandi; Diego Mortillaro di Geotecnica Veneta S.r.l., indagini geognostiche; Guido Driussi, indagini non distruttive, e Walter Maggioni di Ismes Cesi S.p.A., monitoraggi; Marco Bortoletto, consulenza archeologica; Anna De Spirt, consulenza per il restauro, Ermanno e Alessandra Ervas e Giuseppe Tonini per il restauro del gruppo scultoreo della «Palla d'Oro».

Un ringraziamento speciale va infine all'amministratore delegato Monique Veaute, a Raimondo Ferraro e a tutto lo staff di Palazzo Grassi. Ancora grazie a Marc Desportes, capo progetto, per il contributo determinante e l'assistenza al committente in ogni fase del progetto, Fabrice Merizzi, progetto funzionale, e Francesca De Marchi, assistente al capo progetto.

Un ringraziamento particolare ai dirigenti e ai funzionari degli enti pubblici coinvolti per la fattiva collaborazione e per le utili osservazioni e indicazioni determinanti per il successo del progetto.

François Pinault, President of Palazzo Grassi, would like to express his gratitude to all of those whose commitment and dedication have made it possible to complete in just fourteen months this very ambitious project of restoring the historic monumental complex of Punta della Dogana and refurbishing it as a new Centre for Contemporary Art.

Special thanks:

for the design project: Tadao Ando, with Kazuya Okano, Antoine Müller Moriya; with the assistance of Equilibri S.r.l., Eugenio Tranquilli, general coordinator, Verdiana Durand de la Penne, project liaison, and Nicolò Vistosi, project assistant;

for the direction of works: Adriano Lagrecacolonna, plant and facilities design, with the collaboration of Sergio Rigato, Riccardo Garavello and Giuseppe Bianchin; Tecnobrevetti, Giandomenico Cocco, planning and direction of structural work, and Alberto Mazzuccato, geological consultant, Luigi Cocco, executive project and direction of building work, with the collaboration of Nicola Bernardi, Alberto Simioni, Alberto Anselmi, Marina Frighi, Alessandra Guida and Monica Maschio; Ferrara-Palladino S.r.l., Pietro Palladino and Cinzia Ferrara, lighting design, with the assistance of Paolo Spotti;

for professional assistance: Venezia Ingegneria, Fausto Frezza, technical consultant and test inspector during the work, and Celio Fulin, safety coordinator, with the collaboration of Serena Semenzato, and Mirko Chinellato; Giorgio Orsoni and Maria Grazia Romeo, legal consultants;

for general contracting: Dottor Group S.p.A., Piero Dottor, president, Roberto Dottor, technical director, Paolo Bonan, commission director, Damiano Rossetti, pilotage, Roberto Trevisiol, worksite director, with the collaboration of Manuel Franceschin, Romina Illuzzi, artistic direction and restoration, with the collaboration of Denis Fardin, Giancarlo Rizzato, accounting, Andrea Teo, quality control, Alessio Dottor, coordination of general services, Vanessa Dal Mas, head of health and security, Marco Tonon, logistics;

for electrical installations and plant: Fiel S.r.l., in particular Radames Doretto; for mechanical plant and installations: Fiorin S.r.l., in particular Antonio Fiorin; and all the companies that participated in the work.

Thanks also to Alberto Torsello, Sat Survey S.r.l., geometrical and topographical surveying, with the collaboration of Anna Girolami and Alessandro Sandi; Diego Mortillaro of Geotecnica Veneta S.r.l., geognostic surveys; Guido Driussi, non-destructive testing and surveys, Walter Maggioni of Ismes Cesi S.p.A., monitoring; Marco Bortoletto, archaeological consultant; Anna De Spirt, restoration consultant, Ermanno and Alessandra Ervas and Giuseppe Tonini for restoration of the «Palla d'Oro» sculptural group.

Finally, special thanks go to Monique Veaute, Managing Director, to Raimondo Ferraro and to the whole staff of Palazzo Grassi. Also thanks to Marc Desportes, project manager, for his decisive contribution and assistance to the client at each phase in the project, Fabrice Merizzi, function design, and Francesca De Marchi, assistant to the project manager.

Particular thanks to the directors and officials of the public bodies involved for their active cooperation, useful observations and decisive indications for the success of the project.

Le Président de Palazzo Grassi François Pinault exprime son entière gratitude à tous ceux qui, avec engagement et dévouement, ont rendu possible en seulement quatorze mois, la réalisation d'un projet très ambitieux: la restauration du bâtiment historique monumental de Punta della Dogana et l'ouverture d'un nouveau centre d'art contemporain.

Il remercie en particulier:

pour le groupe de projet: Tadao Ando avec Kazuya Okano, Antoine Müller Moriya; avec l'assitance de Equilibri S.r.l., Eugenio Tranquilli, coordination générale, Verdiana Durand de la Penne, référent de projet, et Nicolò Vistosi, assistant de projet;

pour la direction des travaux: Adriano Lagrecacolonna, étude des équipements techniques, avec la collaboration de Sergio Rigato, Riccardo Garavello, Giuseppe Bianchin; Tecnobrevetti, Giandomenico Cocco, projet et direction des travaux structurels, et Alberto Mazzuccato, consultation géologique, Luigi Cocco, projet exécutif et direction des travaux du bâtiment, avec la collaboration de Nicola Bernardi, Alberto Simioni, Alberto Anselmi, Marina Frighi, Alessandra Guida, Monica Maschio; Ferrara-Palladino S.r.l., Pietro Palladino et Cinzia Ferrara, projet du système d'éclairage, avec l'assistance de Paolo Spotti;

pour l'assistance professionnelle au client: Venezia Ingegneria, Fausto Frezza, conseil technique et organisation technique des tests en cours de travaux, et Celio Fulin, coordinateur pour la sécurité, avec la collaboration de Serena Semenzato, et Mirko Chinellato; Giorgi Orsoni et Maria Grazia Romeo, conseil légal;

pour l'entreprise de construction: Dottor Group S.p.A., Piero Dottor, président, Roberto Dottor, direction technique, Paolo Bonan, responsable des ventes, Damiano Rossetti, pilotage, Roberto Trevisiol, chef de chantier, avec la collaboration de Manuel Franceschin, Romina Illuzzi, direction artistique et restauration, avec la collaboration de Denis Fardin, Giancarlo Rizzato, comptabilité, Andrea Teo, contrôleur qualité, Alessio Dottor, coordination des services généraux, Vanessa Dal Mas, responsable sécurité et santé, Marco Tonon, responsable logistique;

pour les installations électriques, Fiel S.r.l., et en particulier Radames Doretto; pour les installations mécaniques Fiorin S.r.l., et en particulier Antonio Fiorin; toutes les entreprises qui ont participé à l'exécution des travaux;

et également, Alberto Torsello, Sat Survey S.r.l., pour les relevés géométriques et topographiques avec la collaboration d'Anna Girolami et Alessandro Sandi; Diego Mortillaro de Geotecnica Veneta S.r.l., enquêtes géognostiques; Guido Driussi, contrôles non destructeurs, et Walter Maggioni de Ismes Cesi S.p.A., monitorage; Marco Bortoletto, consultation archéologique; Anna De Spirt, consultation pour la restauration, Ermanno et Alessandra Ervas et Giuseppe Tonini pour les travaux de restoration de la sculpture de la «Palla d'Oro».

Enfin, un remerciement particulier est adressé au Directeur Monique Veaute, à Raimondo Ferraro et à toute l'équipe de Palazzo Grassi. Un remerciement particulier va à Marc Desportes, chef du projet, pour son importante contribution et son soutien au client au cours de chaque phase du projet, Fabrice Merizzi, projet fonctionnel, et Francesca De Marchi, assistante du chef de projet.

Un remerciement en particulier aux responsables et aux fonctionnaires des organismes publics interpellés, pour leur collaboration active, ainsi que pour les remarques et les indications utiles ayant permis le succès du projet.

PRESENTAZIONE

LA CREAZIONE del nuovo centro d'arte contemporanea di Punta della Dogana ha una valenza culturale di livello internazionale e contribuisce alla diffusione della conoscenza dell'arte dei nostri tempi.

Nel presentare questo volume, che racconta l'edificio di Punta della Dogana e il restauro conservativo che lo ha restituito dopo decenni all'uso pubblico, tuttavia, mi preme soprattutto ricordare che questo progetto rappresenta un esempio di eccellenza nel campo della conservazione del patrimonio culturale.

Un'eccellenza che emerge in almeno cinque dimensioni.

Eccellenza nella qualità dell'intervento architettonico, affidato alle mani sapienti di Tadao Ando, al suo puntiglioso rispetto per l'edilizia storica, al suo geniale lavoro sulla forma triangolare della Punta, alla sua capacità di far parlare, nella nuova Punta della Dogana, moderno e antico.

Eccellenza nel processo di gestione amministrativa del patrimonio pubblico in Italia, ottenuta grazie a decisioni fortemente innovative volute dallo Stato italiano, quando ha concesso l'uso del bene al Comune di Venezia, e fortemente perseguite poi dallo stesso Comune di Venezia, quando ha deciso di cercare, tramite una procedura di evidenza pubblica, un investitore disposto a restaurare il bene e a gestirlo per alcuni decenni dentro un preciso vincolo di destinazione culturale all'arte contemporanea.

Eccellenza nel rapporto fra pubblico e privato, perché posso direttamente testimoniare che il cantiere di restauro affidato a Palazzo Grassi non sarebbe andato in porto all'interno dei tempi prestabiliti se non ci fosse stata una piena e leale collaborazione fra il privato concessionario e le autorità pubbliche, prime fra tutte il Comune di Venezia e il Ministero per i beni e le attività culturali, attraverso la Soprintendenza ai beni architettonici di Venezia.

E non è certamente secondario ricordare che il restauro di Punta della Dogana ha attivato il più grande investimento conservativo nel settore dei beni culturali italiani finanziato interamente da un soggetto privato. Anche qui c'è un'eccellenza, probabilmente non solo in ambito italiano, ma anche europeo.

Eccellenza, infine, nella qualità delle tecnologie, delle soluzioni organizzative e del *know-how* messo in campo da tutti i soggetti – imprese, professionisti, fornitori e maestranze – che hanno preso parte al cantiere, a cui, a nome di Palazzo Grassi, ho il dovere di rivolgere un profondo e sincero ringraziamento.

L'Italia è un paese estremamente ricco di beni architettonici storici che hanno, come Punta della Dogana, un carattere culturale unico. La legge italiana tutela questi beni, ma lo Stato ha molte difficoltà a garantire un flusso di risorse sufficiente per la loro manutenzione, conservazione e restauro.

Alcuni analisti hanno stimato che la spesa pubblica statale per investimenti nei beni culturali riesce a coprire appena un decimo degli effettivi fabbisogni di intervento. È per questo che lo Stato italiano ha estremo interesse a coinvolgere gli enti locali, e soprattutto i Comuni, e i privati nei progetti di restauro degli immobili storici e di loro reimpiego a fini culturali.

A questo fine sono state importanti alcune innovazioni legislative introdotte sin dalla fine degli anni novanta. Ma l'uso effettivo di queste innovazioni è rimasto limitato, spesso bloccato dalle gelosie reciproche fra Stato, enti locali e soggetti privati.

Il caso di Punta della Dogana è, al contrario, un caso di successo, di collaborazione, di innovazione, di applicazione avanzata delle nuove normative nel campo dei beni culturali. Normative che hanno permesso, a Punta della Dogana, di sbloccare uno stallo durato più di trent'anni, durante i quali l'immobile è stato chiuso e inutilizzato.

Il costo dell'investimento è di gran lunga il più elevato che un privato abbia deciso di affrontare nel settore italiano dei beni culturali negli ultimi vent'anni. Penso a un privato a tutti gli effetti, come la François Pinault Foundation e il suo braccio operativo Artis. In Italia hanno un ruolo importante in questo settore le fondazioni ex bancarie. Ma le fondazioni ex bancarie sono enti patrimoniali i quali, pur avendo la natura di soggetti di diritto civile, operano nell'ambito di una regolazione pubblicistica e sono obbligati per legge a devolvere ai settori della cultura, del sociale e ad altri settori socialmente meritevoli i proventi dei loro patrimoni. E comunque, mi risulta che raramente le stesse fondazioni ex bancarie abbiano finanziato singoli progetti della rilevanza e della dimensione di Punta della Dogana.

Insomma, è motivo di grande orgoglio per me, che ho speso gran parte della mia vita a rinsaldare la cooperazione culturale in ambito europeo, e soprattutto fra Italia e Francia, aver preso parte a questo progetto, che dimostra l'efficacia del partenariato fra pubblico e privato nella cultura, e che restituisce a Venezia e al mondo intero non solo un monumento storico di valore ineguagliabile, non solo un pezzo di laguna che da tempo non era più fruibile, ma anche uno spazio il cui sguardo è rivolto all'oggi e al domani della creazione artistica.

Monique Veaute
Direttore di Palazzo Grassi

INTRODUCTION

THE CREATION of the new centre of contemporary art at Punta della Dogana is an event of an international cultural value contributing to the public accessibility and familiarity with the art of our times.

In presenting this book that documents the Punta della Dogana building and the respectful restoration that has once again made this beloved edifice accessible to the public after decades of closure, I would like to underscore that this project is an outstanding example in the field of cultural heritage conservation.

It is outstanding in at least five ways.

Outstanding in the quality of the architectural intervention, thanks to the skilful hands of Tadao Ando, his unrelenting respect for historical buildings, his brilliant work on the triangular shape of the Punta, and his ability to let both the modern and ancient converge in the new Punta della Dogana.

Outstanding in terms of the administrative management of the Italian State's patrimony which was enabled by the innovative governmental delegation of responsibility for the Dogana's usage to the Venice City Council. This was then unwaveringly followed by the City Council's decision to solicit an investor willing to restore the property and manage it for several decades, respecting the precise criteria dedicated to culture and contemporary art.

Outstanding as an example of cooperation between public and private enabling the timely renovation of the Punta della Dogana. I can attest myself that under other conditions Palazzo Grassi would not be able to achieve this renovation on time except for the extraordinary complicity between François Pinault and the public authorities – first and foremost the Venice City Council and the Ministry of Culture, represented by the Superintendency of Historical and Cultural Heritage in Venice.

It is certainly not incidental that the restoration of Punta della Dogana represents the most significant budget devoted to a sole cultural restoration project in Italy (and for that matter, probably in the whole of Europe) funded by a single private entity. It is outstanding in this as well, and probably not only on the Italian scene, but throughout Europe.

Finally, this enterprise is outstanding because of the quality of the architectural, logistical, and technical expertise technology provided by all those involved – businesses, professionals, suppliers and craftsmen – who took part in the renovation and whom, in the name of Palazzo Grassi, I would like to thank from the depths of my heart.

Italy is a country that abounds in historical buildings that, like Punta della Dogana, have a unique cultural character. Italian law protects this patrimony, but the State has considerable difficulties in providing resources for their maintenance, conservation and restoration.

Several analysts have estimated that public spending by the State for investments in cultural heritage barely manages to cover a tenth of the actual needs. This is why it is in the Italian State's greatest interest to involve both local and governmental bodies, City Councils in particular, and private entities in restoration projects of historical buildings and their new use for cultural purposes.

For this reason several important legislative innovations were introduced at the end of the 1990s. However, the actual benefit of these innovations has remained limited, all too often obstructed by feelings of mutual jealousy between the State, local bodies and individuals.

On the contrary Punta della Dogana is an example of success, collaboration, innovation and the advanced application of these new regulations in the cultural heritage field. At Punta della Dogana these new laws made it possible to break a deadlock that had lasted more than thirty years, during which the building remained closed and idle.

The cost of the investment is by far the highest ever engaged on by a private entity in the Italian cultural heritage sector over the last twenty years. I am thinking of a private entity in all senses: the François Pinault Foundation and its operational arm Artis. In Italy former banking foundations have an important role in this sector. However, these are property corporations which, although being subject to civil law, operate in the sphere of public law and are legally obliged to donate the revenue from their assets to the cultural and social sectors or to other socially deserving sectors. However, it appears that these former banking foundations have hardly ever financed individual projects of any relevance or of the dimensions of Punta della Dogana.

In short, having spent a great deal of my life strengthening cultural cooperation at a European level, and between Italy and France in particular, I am especially proud to have been a participant in this project. It is testimony to the efficacy of a cultural partnership between public and private that has not only restored a historical monument of unequalled value to Venice and the world, not only a piece of the lagoon that had been inaccessible for years, but also a space looking both at the present and future of artistic creation.

Monique Veaute
Director of Palazzo Grassi

PRÉSENTATION

LA CRÉATION du nouveau centre d'art contemporain à Punta della Dogana a une valeur culturelle de niveau international et elle contribue à la transmission de la connaissance de l'art de notre époque.

Cependant, dans la présentation de ce volume, qui explique l'histoire du bâtiment de Punta della Dogana et la restauration conservative qui l'a rendu à un usage public après des décennies, nous insistons notamment sur l'exemple d'excellence, dans le domaine de la conservation du patrimoine culturel, que représente ce projet.

Une excellence qui apparaît dans au moins cinq dimensions différentes.

Une excellence dans la qualité de l'intervention architecturale, confiée aux mains expertes de Tadao Ando, à son respect minutieux de la construction historique, à son travail talentueux sur les formes triangulaires de la pointe, à sa capacité de faire parler de manière moderne et ancienne la nouvelle Punta della Dogana.

Une excellence dans le processus de gestion administrative du patrimoine public en Italie, obtenue grâce à des décisions extrêmement innovantes prises par l'État italien, quand il a accordé l'utilisation du bien à la Commune de Venise, et ensuite fortement poursuivies par la Commune de Venise, quand elle a décidé de chercher par l'intermédiaire d'une procédure d'évidence publique, un investisseur disposé à restaurer le bien et à le gérer pour quelques décennies dans un but exclusif de destination culturelle à l'art contemporain.

Une excellence dans le rapport entre le public et le privé, car je peux témoigner directement que le chantier de restauration confié à Palazzo Grassi n'aurait pas pu être mené à bien dans les délais préétablis s'il n'y avait pas eu, comme cela a été le cas, une pleine et loyale collaboration entre le concessionnaire privé et les autorités publiques, entre autres la Commune de Venise et le Ministère des biens et des activités culturelles, à travers la Surintendance des biens architecturaux de Venise.

Il ne faut surtout pas oublier de rappeler que la restauration de Punta della Dogana a mis en route le plus grand investissement conservatif dans le secteur des biens culturels italiens financé entièrement par un particulier. Ici aussi, il y a une excellence, et probablement non seulement dans le cadre italien, mais aussi européen.

Une excellence, finalement, dans la qualité des technologies, des solutions d'organisation et du *know-how* fourni par tous les individus – les entreprises, les professionnels, les fournisseurs et les ouvriers – qui ont participé au chantier et à qui, au nom de Palazzo Grassi, je me fais un devoir d'adresser un véritable et sincère remerciement.

L'Italie est un pays extrêmement riche de biens architecturaux historiques qui ont, comme Punta della Dogana, un caractère culturel unique. La loi italienne tutelle ces biens, mais l'État a beaucoup de difficultés à garantir un flux de ressources suffisantes pour leur entretien, leur conservation et leur restauration.

Certains analystes ont estimé que la dépense publique de l'État pour les investissements dans les biens culturels réussit à couvrir à peine un dixième des demandes effectives d'intervention. C'est pour cette raison que l'État italien a un énorme intérêt à impliquer les collectivités locales, surtout les Communes, et les privés, dans les projets de restauration des édifices historiques et de leur réutilisation à des fins culturelles.

Dans ce but, certaines innovations législatives introduites à partir de la fin des années 90 ont été importantes. Mais l'usage effectif de ces innovations est resté limité, souvent bloqué par les rivalités entre État, collectivités locales et privés.

Le cas de Punta della Dogana est, au contraire, un cas de succès, de collaboration, d'innovation, et d'application avancée des nouvelles législations dans le domaine des biens culturels. Des législations qui ont permis, à Punta della Dogana, de débloquer une situation qui a duré plus de trente ans, et durant laquelle le bâtiment est resté fermé et inutilisé.

Le coût de l'investissement est de loin le plus élevé qu'un particulier ait décidé d'affronter, dans le secteur italien des biens culturels, durant ces vingt dernières années. Je pense à une société privée à tous les effets, comme la François Pinault Foundation et Artis. En Italie, les fondations d'origine bancaire ont un rôle important dans ce secteur. Cependant, ces fondations sont des organismes patrimoniaux qui, tout en ayant la nature de sujets de droit civil, opèrent dans le cadre d'un contrôle qui concerne le droit public et sont tenues par la loi de transmettre, aux secteurs de la culture, du social et aux autres secteurs socialement méritants, les recettes de leurs patrimoines. Il en résulte, néanmoins, que ces fondations d'origine bancaire ont rarement financé des projets uniques de l'importance et de la dimension de Punta della Dogana.

En conclusion, c'est à cette occasion une immense fierté pour moi, qui ai passé une grande partie de ma vie à renforcer la coopération culturelle dans un domaine européen, et surtout entre l'Italie et la France, d'avoir participé à ce projet. Celui-ci démontre l'efficacité du partenariat entre public et privé dans la culture, et qui rend à Venise et au monde entier, non seulement un monument historique de valeur inégalable, non seulement un bout de lagune qui depuis longtemps n'était plus disponible, mais aussi un espace dont le regard est tourné vers le présent et vers l'avenir de la création artistique.

Monique Veaute
Directeur de Palazzo Grassi

I. PER QUANTO inaffidabile, il libro *Curiosità veneziane* di Giuseppe Tassini (1863) era ritenuto anche da Julius Schlosser «una miniera di notizie». Tra queste ve ne sono alcune riguardanti l'assetto delle Dogane veneziane e quindi anche del complesso di Punta della Dogana. In questa sede, seppure sommariamente, è utile ricordarle.

«In Venezia sino all'anno 1414», scriveva Tassini, «tutte le merci si scaricavano, e si ponevano a bilancia presso S. Biagio di Castello. Ma poiché per la grande affluenza di esse, il luogo divenne angusto, si edificarono due dogane, l'una, pei generi provenienti dalla terraferma, a Rialto, e l'altra, per i generi provenienti dal mare, sopra un lembo di terreno che si aveva formato con una velma, o palude fino al 1313, ovvero 1316, e che chiamavasi *Punta del sale* pei magazzini del sale colà eretti, nonché *Punta della Trinità* perché prossimo alla chiesa e al monastero della Trinità, distrutti quando nel 1631 si innalzò colà la chiesa di Santa Maria della Salute. La *Dogana da Mar*, che era fornita d'una torre, visibile nella pianta di Venezia attribuita ad Alberto Durero, si riattò nel 1525. Ebbe poi una rifabbrica nel 1675 sul disegno dell'architetto Benoni».

La presenza di magazzini adibiti a depositi del sale a ridosso di quella che poi sarà la *Dogana da Mar* è documentata sin dall'inizio del Quattrocento e la pianta prospettica di Venezia di Jacopo de' Barbari del 1500 offre una visione dettagliata dell'intero quadrante urbano. Trent'anni dopo il compimento della celebre incisione del de' Barbari la zona venne liberata dalla presenza di cantieri e annessi, e vennero consolidate in pietra le rive delle Zattere.

Ma le date ricordate dal Tassini e gli studi compiuti in seguito consigliano di collocare la sistemazione dei magazzini del sale e della Punta della Dogana nel quadro di un processo storico più ampio. Così facendo si può considerare la costruzione di Punta della Dogana l'episodio conclusivo delle trasformazioni avviate alla metà del Trecento che portarono alla definizione della «forma della città» per riscattarne l'«onore» e il futuro «splendore», come ha spiegato Ennio Concina, a partire dalla riforma del «porto-canale di San Marco», definito da Francesco Petrarca «porto pubblico dell'umano genere».

Pur attraverso numerose e complesse vicende edilizie Punta della Dogana mantenne nei secoli la sua originaria funzione e assunse la configurazione che noi conosciamo in coincidenza dell'edificazione di una delle opere più insigni dell'architettura veneziana, la chiesa di Santa Maria della Salute. La costruzione del tempio, deliberata nel 1631 come adempimento del voto formulato l'anno prima per liberare la città dal contagio della peste, venne affidata a Baldassarre Longhena, proto di San Marco. L'area su cui la chiesa fu eretta era compresa tra i magazzini del sale e la Dogana, occupata, come si è visto, anche dal monastero della Trinità.

Le difficoltà che Longhena dovette affrontare per costruire Santa Maria della Salute spiegano tra l'altro quale fosse la natura dei terreni sui quali sorgeva la Dogana, destinata di lì a poco a venire riformata. Al proposito basti ricordare che per consolidare il terreno e dotare Santa Maria della Salute di adeguate fondazioni Longhena impiegò circa 13.000 pali di rovere (ricordando quanto si attuò in questo cantiere nel Seicento è possibile farsi anche un'idea dell'origine dei problemi, descritti in altra parte di questo libro, che sono stati risolti nel ristrutturare Punta della Dogana e completare, nella tarda primavera del 2009, i lavori previsti dal progetto elaborato a tal fine da Tadao Ando).

Prima in concorrenza e poi accanto al Longhena, la costruzione di Santa Maria della Salute coinvolse anche l'ingegnere Giuseppe Benoni, esperto nel valutare gli effetti prodotti dai movimenti delle acque sulle opere edilizie. In questa sua veste, allorché Longhena avanzò la richiesta di ampliare la riva di fronte al tempio votivo, fu Benoni a formulare un parere favorevole. Quando però venne decisa la ricostruzione della limitrofa Punta della Dogana, le proposte formulate da Longhena nel 1676-1677, come quelle di Giuseppe Sardi, non vennero accolte e la realizzazione dell'opera fu affidata allo stesso Benoni.

L'edificio progettato da Benoni, per la sua collocazione piuttosto che per le sue più evidenti caratteristiche architettoniche, venne così a completare l'immagine e la forma del bacino marciano. Per la posizione occupata, dal Settecento in poi, fu oggetto di numerose attenzioni e data la funzione svolta la sua solida struttura subì continue trasformazioni, dalle implicazioni risultate ben evidenti quando se ne è decisa la definitiva trasformazione per ospitarvi il Cento d'arte contemporanea della François Pinault Foundation. Inoltre, sin dal Settecento il complesso esercitò un ruolo di primo piano quale riferimento per molti progetti di riforma urba-

19

na elaborati per Venezia, vuoi come terminale ideale delle opere compiute a Castello e sulle rive prospicienti il bacino di San Marco, vuoi dei programmi tesi a modernizzare il sistema dei percorsi urbani e a riqualificare l'assetto delle Zattere (sulle quali si giunse a immaginare, nell'Ottocento, la realizzazione di una ferrovia destinata a raggiungere proprio Punta della Dogana dalla terraferma). A questo proposito può essere non soltanto curioso ricordare che sempre nell'Ottocento, ovvero sin dal 1833 come ricorda Giandomenico Romanelli, Punta della Dogana venne persino impiegata come approdo per uno stabilimento balneare e termale flottante.

Anche nel Novecento i magazzini della Dogana subirono gravi rimaneggiamenti. Vi vennero compiuti lavori di adeguamento strutturale eseguiti con scarso rispetto per i caratteri della fabbrica seicentesca che comportarono la costruzione di soppalchi, modifiche agli apparati murari e varie trasformazioni delle coperture. Tali interventi non impedirono il progressivo degrado e poi l'abbandono anche da parte dell'amministrazione dello Stato degli spazi destinati a svolgere attività doganali. Ma quando le Dogane italiane lasciarono definitivamente il complesso, abbandonandolo al più completo degrado, la *Dogana da Mar* aveva ormai perso da tempo la funzione che aveva svolto per quattrocento anni e l'edificio era ormai soltanto uno sfondo magnifico, data la sua collocazione e a dispetto della modestia della sua utilitaristica concezione architettonica, per la porzione terminale del Canal Grande e la variata scenografia offerta dal bacino marciano.

II. Queste brevi annotazioni spiegano perché l'inaugurazione del Centro d'arte contemporanea, nel giugno del 2009, debba essere considerata l'episodio conclusivo di una vicenda che non ha molti eguali nella storia recente di Venezia. Anche le premesse a noi più prossime e i relativi risvolti che hanno portato a questa conclusione meritano però di essere ricordati prima di spostare l'attenzione sulle peculiarità che caratterizzano il nuovo complesso espositivo progettato da Tadao Ando.

Per farlo è necessario compiere qualche passo a ritroso, iniziando a ricordare avvenimenti dai quali ci separa quasi un decennio. Fu infatti nel 2000 che la François Pinault Foundation rese pubblica la propria intenzione di realizzare un centro espositivo dedicato all'arte contemporanea e comunicò di avere individuato nell'Île Seguin, lambita dal corso della Senna a Parigi, l'area più adatta.

Per la progettazione di questo «museo», destinato ad accogliere le iniziative promosse dalla François Pinault Foundation e a occupare il sito ove sorgono le fabbriche abbandonate dalla fine degli anni novanta della Renault, nel 2001 venne bandito un concorso. Tra i progetti presentati da Manuelle Gautrand, Rem Koolhaas, MVRDV, Steven Holl, Dominique Perrault e Tadao Ando fu scelto quello dell'architetto giapponese, per ragioni che lo stesso François Pinault spiega in questo libro. Ma dopo il 2001, uno volta espletato il concorso, ostacoli burocratici e complicazioni di varia natura fecero sì che l'inizio dei lavori per la realizzazione dell'opera subisse diversi rinvii. Quando anche l'annuncio che la costruzione sarebbe iniziata alla metà del 2004 dovette essere smentito, François Pinault iniziò a pensare a una soluzione alternativa.

Questa soluzione prese corpo allorché si prospettò la possibilità di acquistare Palazzo Grassi a Venezia, dall'inizio degli anni ottanta di proprietà della FIAT, promotrice in seguito di un'intensa attività espositiva, sfociata nella realizzazione di mostre di notevole successo. Nonostante il quadro istituzionale si presentasse complesso dopo la decisione assunta dalla FIAT di rinunciare alla propria presenza a Venezia, anche per merito dell'azione svolta dal sindaco della città all'epoca, Paolo Costa, e dal direttore dei Musei Civici Veneziani, Giandomenico Romanelli, nell'aprile del 2005 il Gruppo Artémis, guidato da Pinault, assunse il controllo di Palazzo Grassi. Di lì a poco, il 10 maggio 2005, «Le Monde» pubblicò un articolo da lui firmato intitolato, *L'île Seguin: je renonce*, con il quale Pinault dichiarò di avere preso atto dell'impossibilità di perseguire l'ipotesi del riuso dei vecchi stabilimenti parigini della Renault e pose fine a una vicenda protrattasi per diversi anni e accompagnata da vivaci polemiche.

La decisione di Pinault di rinunciare alla costruzione del «museo» a Parigi, non incrinò però il rapporto che lo legava all'architetto prescelto per progettarlo, Tadao Ando. Infatti, una volta entrato in possesso di Palazzo Grassi, Pinault nel giro di pochi giorni prese la decisione di affidare allo stesso Ando il compito di realizzarne la riforma, a suo tempo (1985) commissionata dalla FIAT a Gae Aulenti.

L'ambizioso programma varato dalla FIAT aveva comportato un'ennesima e radicale ristrutturazione del palazzo costruito da Giorgio Massari alla metà del Settecento per la famiglia Grassi, proveniente da Chioggia e di nobiltà piuttosto recente. Ma anche prima del 1985 il palazzo aveva subito significative trasformazioni, altrettante conseguenze delle numerose operazioni di compravendita di cui era stato oggetto. Intorno 1840, infatti, l'ultimo erede dei Grassi aveva ceduto l'immobile alla Società Veneta Commerciale. Successivamente il vasto edificio fronteggiante il Canal Grande a San Samuele aveva subito altre traversie, puntualmente ricostruite da Giandomenico Romanelli: nel corso dell'Ottocento prima fu utilizzato come una locanda e poi nuovamente come lussuosa dimora, alla quale venne incorporato il giardino sul retro, più tardi trasformato in un teatro all'aperto, destinato a venire poi ricoperto (l'attuale «teatrino» dismesso, più volte qui di seguito citato). All'inizio del

Novecento Palazzo Grassi era stato poi acquistato dall'erede di una delle famiglie di spicco del moderno ceto imprenditoriale veneziano, Giovanni Stucky. Come era accaduto in precedenza, anche in questa circostanza subì nuove e svariate trasformazioni coinvolgenti la struttura, l'assetto distributivo e gli apparati decorativi. Quando poi, negli anni quaranta del secolo scorso, era stato acquistato da un altro celebre imprenditore veneziano, Vittorio Cini, nel palazzo erano stati eseguiti nuovi lavori di riforma proseguiti allorché, di lì a poco, l'immobile venne ceduto alla Società Immobiliare Veneziana guidata da Franco Marinotti che ne fece la sede del Centro internazionale delle arti e del costume (1951). All'inizio degli anni cinquanta pertanto al palazzo, sottoposto contestualmente ad altre trasformazioni, fu assegnata una nuova funzione, quella di fungere da sede per mostre, rassegne ed eventi culturali variamente intesi. Ma anche il Centro voluto da Marinotti esaurì rapidamente la sua attività e il palazzo passò nuovamente di mano sino a quando nel 1984 fu acquistato dalla FIAT attraverso la società Palazzo Grassi spa che lo trasformò definitivamente in sede espositiva e vi allestì, due anni dopo, la prima di una serie di grandi mostre dedicata al Futurismo.

III. Operando con non minore efficienza e rapidità di quelle di cui aveva saputo dar prova la FIAT, a partire dal 2005 la François Pinault Foundation riformò nuovamente Palazzo Grassi. Dettati da una strategia progettuale diversa da quella adottata da Gae Aulenti, gli interventi di ripulitura degli ambienti attuati da Tadao Ando con castigata laconicità furono completati rapidamente e alla fine di aprile 2006 Palazzo Grassi aprì nuovamente le porte in occasione dell'inaugurazione della prima mostra organizzata dalla François Pinault Foundation, intitolata *Where Are We Going?*. Nei tre anni successivi (aprile 2006-marzo 2009) a questa hanno fatto seguito altre cinque mostre: *Picasso. La joie de vivre*, *La collezione François Pinault. Una selezione Post-Pop*, *Sequence 1*, *Roma e i Barbari*, *Italics*.

Mentre decollava questa attività, come spiega in queste pagine, Ando venne incaricato di elaborare anche il progetto per il restauro e la rifunzionalizzazione del cosiddetto «teatrino», direttamente collegato a Palazzo Grassi e del quale abbiamo già avuto modo di parlare. L'arrivo della François Pinault Foundation a Venezia e le iniziative varate a Palazzo Grassi contribuirono a portare a rapida maturazione una delle più promettenti possibilità offerte all'epoca dalla città, nel 2005 ancora in attesa di essere colta: la trasformazione dei magazzini di Punta della Dogana in una sede espositiva o in una nuova istituzione museale.

Il rilievo di questa possibilità, destinata a valorizzare uno dei più caratteristici complessi edilizi veneziani, collocato a cuneo tra il bacino marciano, il Canal Grande e il canale della Giudecca, era stato sottolineato da tempo da uomini di cultura, amministratori pubblici, esponenti politici. Ben prima del 2005 la stessa amministrazione comunale di Venezia, la Biennale di Venezia e la Solomon R. Guggenheim Foundation avevano espresso a più riprese, in varie maniere e in modi più o meno concreti, il loro interesse a promuovere o elaborare proposte per il riuso di Punta della Dogana. Questi propositi, che almeno in un caso si erano risolti con lo studio di un vero e proprio progetto architettonico, trovarono un serio riscontro e assunsero effettiva concretezza proprio nel 2005 allorché il sindaco di Venezia, Massimo Cacciari, eletto nel medesimo anno, sottolineò con particolare enfasi l'urgenza di affrontare la questione del riordino del sistema museale veneziano, inserendo in questo contesto anche il problema del recupero del complesso di Punta della Dogana.

Date queste premesse e una volta raggiunto l'accordo con il Demanio dello Stato resosi nel frattempo disponibile a concedere i magazzini di Punta della Dogana da tempo abbandonati per un nuovo uso, l'amministrazione comunale di Venezia, superando non pochi ostacoli, ebbe la possibilità di bandire una gara per la trasformazione dell'antica fabbrica in un museo dedicato all'arte contemporanea. Alla gara parteciparono la Guggenheim Foundation intenzionata ad avvalersi delle prestazioni di Zaha Hadid per la realizzazione dei lavori di riforma e la François Pinault Foundation affiancata da Tadao Ando. Una volta espletata questa gara che sancì il prevalere della proposta avanzata dalla François Pinault Foundation, l'8 giugno 2007 venne firmata la convenzione di partenariato tra il sindaco Massimo Cacciari e François Pinault per la creazione del Centro d'arte contemporanea di Punta della Dogana.

A partire da questa data i lavori per la costruzione del Centro sono stati portati a termine con inusuale rapidità. Il loro completamento è avvenuto in meno di due anni e all'ottenimento di questo risultato, un precedente per molte ragioni suscettibile di venire considerato un modello per affrontare altre e analoghe situazioni in Italia, ha concorso l'armonia di intenti che ha guidato la collaborazione instauratasi tra committente, architetto, Amministrazione comunale e Soprintendeza ai monumenti, oltre all'efficacia con cui hanno operato i collaboratori italiani scelti da Ando e l'impresa costruttrice.

Da parte sua Ando ha elaborato con estrema rapidità il progetto cui hanno fatto seguito le stesure degli elaborati necessari a renderlo cantierabile. Se si osservano i suoi disegni riprodotti nelle pagine di questo libro, si nota come sin dal primo momento le linee dell'intervento fossero chiare. Il caratteristico impianto dei magazzini affiancati e linearmente disposti tra le rive del Canal Grande e del canale della Giudecca, doveva essere mantenuto. Realizzando imponenti lavori per dotare la fabbrica di adeguate fondazioni e per porla al riparo sia dall'umidità sia dagli effetti delle alte maree e prevedendo di riconfigurare i soppalchi esistenti, il fine del progetto era quello di attrezzare uno spazio espositivo di circa 3300 metri quadrati.

Già i suoi primi schizzi dimostrano come sin dal primo momento Ando abbia ipotizzato di inserire un nuovo spazio a tutta altezza, in posizione più o meno baricentrica rispetto all'impronta triangolare del complesso, di cui si riprometteva di rispettare l'assetto e la struttura. Inizialmente questa sorta di perno è stato immaginato di forma cilindrica, una figura ricorrente nelle opere di Ando e presente in altri edifici e non soltanto in quelli a destinazione museale da lui progettati. Successivamente, mentre veniva traslato verso la porzione mediana della pianta della fabbrica, questo spazio ha assunto la configurazione di un volume cubico, posizionato, in modo da attraversarla nel suo sviluppo verticale, in corrispondenza di una «corte» preesistente, non presente, però, nell'edificio originale. Per la costruzione di questo nuovo spazio, per forma e fattura simile ad altri da lui inseriti in ambienti analoghi a quello offerto da Punta della Dogana, Ando ha previsto l'impiego di cemento armato lisciato e lucido, ormai riconosciuto come cifra delle sue opere.

Quando i lavori hanno avuto inizio, gli interventi di restauro delle murature sono stati portati a compimento con l'intento di porre in luce le successive stratificazioni che le hanno configurate, rendendole documenti anonimi ma non per questo insignificanti, atti a illustrare la storia e le vicende che hanno progressivamente modificato l'interno del complesso senza intaccarne l'involucro. Tra queste molteplici tracce costituite da materiali diversi, dopo averle riportate alla luce senza accompagnarle con alcun commento, Ando ha inserito interventi radi e puntuali, facendo ricorso a una gamma ristretta di materiali. Nel disegnarli ha prestato particolare attenzione allo snodarsi dei percorsi che consentono il passaggio da un magazzino all'altro, dal piano terreno al livello occupato dai soppalchi, finendo per predisporre un tragitto che si dipana intorno all'asse ideale che attraversa i magazzini dall'ingresso a ovest allo spazio terminale a tutta altezza affacciato sul bacino marciano. Mentre i nuovi varchi ritagliati nelle murature dei magazzini sono stati ricavati nella maniera più anonima, la presenza degli impianti e degli apparati tecnologici richiesti dal museo è stata esplicitamente denunciata. Queste apparecchiature sono state collocate proteggendole con parallelepipedi in cemento lisciato, sistemati sotto i soppalchi. Questi setti cromaticamente neutri, dall'aspetto stringato e quasi enigmatico esibiscono freddamente la propria alterità rispetto agli antichi e tormentati involucri che li accolgono.

Il percorso che ora si snoda all'interno della fabbrica, dall'ingresso posizionato accanto al podio su cui si erge la chiesa di Santa Maria della Salute sino all'ambiente sormontato dal torrino su cui ruota la scultura della Fortuna, ora restaurata, conduce allo spazio occupato dalla corte a base quadrata definita da muri in cemento. Questi quattro piani, interrotti soltanto da due aperture che consentono la circolazione dei visitatori, sono spessi una trentina di centimetri, sono lunghi 16 metri e alti più di 6.

A dispetto della sua evidenza, anche questo inserimento, come le scale che portano ai ballatoi, le balaustre che li completano, i corrimano, le poche finiture, sembra rispettare una regola soltanto, quella che ha imposto che i materiali nuovi e le nuove strutture si accostino sfiorandoli e quasi senza toccarli ai preesistenti apparati murari, dando così vita a continui intervalli scanditi in crescendo sino all'apparire prepotente e improvviso della corte cubica al centro del percorso espositivo. Tra la fabbrica formatasi nel Seicento e quanto ora vi è stato aggiunto o sostituito non si osservano mediazioni né passaggi mimetici, quasi Ando abbia deciso di incastonare tra le stratificazioni che formano l'antico edificio volumi e piani che le separano e le offrono così ordinate come uno spettacolo da godere prodotto dallo scorrere del tempo.

Concorre a rafforzare questa impressione l'evidenza con cui Ando ha puntato sulla contrapposizione delle qualità tattili e non soltanto visive di quanto ha progettato a quelle degli involucri all'interno dei quali ha lavorato. I materiali da lui impiegati per realizzare gli inserimenti che ha disegnato sono lisci, asettici, privi di imperfezioni, tali da non opporre alcun ostacolo alla mano che li sfiora; incrostati, corrosi, mescolati e accidentati sono invece quelli di cui il passare dei secoli si è avvalso per rendere stabili le murature che separano i magazzini e reggono le capriate della copertura: gli intervalli e le incisioni che separano gli uni dagli altri consentono ora di misurarne fisicamente con l'ausilio del tatto la distanza.

Questa regola e le finalità che hanno indotto ad adottarla sono rese evidenti dal modo in cui la corte centrale è isolata nello spazio che occupa, unico gesto perentorio che Ando ha compiuto elaborando il progetto. I microintervalli che si possono osservare in ogni passaggio della costruzione subiscono a questo punto un salto di scala; sottoposti a una dilatazione improvvisa, cedono la scena a un'esplicita rappresentazione contrappuntistica di astrazione e organicità che si avvale dell'evidenza con cui gli scarti di tempi, durate, tecniche e, infine, culture vengono offerti alla vista. Per questa ragione all'organico e familiare aspetto delle antiche tessiture murarie messo in luce grazie al lavoro di scarnificazione su di esse operato, lo spazio centrale contrappone superfici e aperture modellate con precisione chirurgica e realizzate con un unico materiale e con tale cura da attribuire loro e all'impasto cementizio una levigatezza che riflette la luce e suggerisce al tatto una sensazione analoga a quella che potrebbe produrre una cortina di seta. Per rendere ancora più esplicito il significato di questa decisione Ando ha ripristinato soltanto all'interno della corte delimitata dalle sue pareti specchianti l'antica pavimentazione in pietra, ora un muto reperto cui ha affidato nel suo componimento la funzione di una citazione, invece eliminata in tutti gli altri ambienti espositivi a favore di una liscia pavimentazione in cemento.

Oltre che dalla copertura, la luce si diffonde nella corte e negli ambienti espositivi filtrata dalle aperture laterali preesistenti, sistemando le quali, quasi per rendere esplicito uno dei riferimenti che ha privilegiato nell'elaborare questo progetto, Ando ha fatto ricorso a un'ulteriore citazione, carica di un significato evidente. Le cancellate di protezione delle aperture ricavate nell'involucro della fabbrica seicentesca da lui disegnate sono infatti riproduzioni puntuali di quella mirabile realizzata da Carlo Scarpa per il negozio Olivetti nelle Procuratie Vecchie in piazza San Marco (1956).

Questa citazione, non diversamente da quella di cui Ando aveva ipotizzato di avvalersi nel corso del progetto pensando di prendere a modello per le pavimentazioni all'interno dei magazzini quella realizzata dallo stesso Scarpa nella tomba monumentale Brion, è eloquente. Intransigente nel puntare su una strategia progettuale collaudata e nell'avvalersi di mezzi espressivi non meno sperimentati, puntando sulla laconicità, avendo appreso dalla cultura alla quale appartiene che la perfezione di ogni fare si raggiunge attraverso l'eliminazione di quanto non è essenziale, Ando, restaurando Punta della Dogana ha ridato voce, facendo ricorso a un diverso linguaggio, alla lezione che Scarpa ha impartito nel corso della sua intera carriera. Questa lezione insegna che nel confrontarsi con quanto il passato gli affida l'affronto più grave che un architetto può fare al tempo è di negarsi al compito di dare voce al proprio tempo, mimetizzandosi tra le pieghe di quanto il grande costruttore ha per lui e noi preservato.

FRANCESCO DAL CO
FROM DOGANA DA MAR TO MUSEUM.
PUNTA DELLA DOGANA,
VENICE, TADAO ANDO
AND FRANÇOIS PINAULT

I. FOR ALL ITS inaccuracies, Giuseppe Tassini's *Curiosità veneziane* (1863) was considered by Julius Schlosser to be a «mine of information». Some of that information regards the city's customs houses, including the Punta della Dogana.

«In 1414», the book states, «all the merchandise arriving in Venice was unloaded and weighed at San Biagio in the Castello district. Then, when the place became too small to handle the great flood of trade, two customs houses were built: one, handling goods coming from the mainland, was located at Rialto, the other – for goods arriving by sea – was sited on that tongue of land which had been a *velma* or marsh right up to 1313 or 1316, and which was called Punta del Sale because of the salt warehouses built there, or else *Punta della Trinità*, because of the nearby church and monastery of La Trinità, which were destroyed in 1631 when the church of La Salute was raised there. The *Dogana da Mar* [Maritime Customs House] included a tower that can be seen in the map of Venice attributed to Albert Durer, and came into service in 1525. It was then rebuilt in 1675 to designs by the architect Benoni».

The presence of salt warehouses on the site backing onto what would be the location of the *Dogana da Mar* is documented as early as the beginning of the fifteenth century, with Jacopo de' Barbari's perspective map of Venice (1500) offering a detailed rendering of the entire block. Some thirty years after he completed this map, the work on the new structures was completed and the Zattere waterfront was consolidated in stone.

However, the dates mentioned by Tassini (together with further studies of the area) suggest that the creation of the salt warehouses and the Punta della Dogana should be seen as part of a process which, from the middle of the fourteenth century onwards, would – in Ennio Concina's words – «define the very form of the city», emphasizing its «dignity» and future «splendour» through a reorganization of the «Canal-port of St. Mark's», a facility which Francesco Petrarch had defined as «the open port of humankind itself».

Though frequently transformed over the coming centuries, the Punta della Dogana would continue to perform its original function, the area gradually taking on its present appearance – largely through the construction of the church of Santa Maria della Salute, one of the most extraordinary buildings ever created in Venice. Occupying the site of the church of La Trinità (between the salt warehouses and the customs house), this votive church was raised after a pledge made in response to an outbreak of the plague, the commission for the building going in 1631 (one year after the original vow) to Baldassare Longhena, who held the position of *proto* (chief architect) at St. Mark's.

The difficulties the architect would encounter were largely due to the nature of the terrain – the same terrain as that occupied by a customs house which, shortly afterwards, would be rebuilt; for example, the foundation of the church required the sinking of about 13,000 oak piles. And these same difficulties give one some idea of the problems faced in carrying out the recent restructuring work on Punta della Dogana, which was completed in 2009.

Longhena was assisted in his work on Santa Maria della Salute by a man who had initially been a rival for the project: the engineer Giuseppe Benoni, who was an expert in the evaluation of the effects of water upon built structures. So, for example, when the architect advanced the proposal that the waterfront before the church should be extended, it was Benoni who backed the suggestion. However, when it was decided that the Punta della Dogana alongside should be rebuilt, the commission did not go to Longhena (who submitted proposals in 1676-1677) nor to Giuseppe Sardi, but rather to Benoni himself.

It would be the location rather than the architectural qualities of the building Benoni created which made it an integral part of the form and image of St. Mark's Basin. In effect, due to that location, the structure would often be the focus of attention in the eighteenth and nineteenth century, and would figure largely in numerous plans for a revision of the urban layout of the city. Punta della Dogana was, for example, taken as the ideal point of culmination of the work carried out at Castello and along the waterfronts overlooking St. Mark's Basin. Similarly, it would figure in plans involving the modernization of the pedestrian system around the Zattere area, and in the nineteenth century some even suggested that it could be the site of a rail terminus. As Giandomenico Romanelli points out, by 1833 the Punta della Dogana was also being used as anchorage point for a bathing station and floating spa.

During the course of the twentieth century, the Dogana warehouses would undergo invasive re-structuring: the work on the roofing and lofts, in particular, failed to take into account the characteristics of the seventeenth-century building. However, this work did not halt the gradual decline of the structure, with the State administration ultimately abandoning the customs house spaces to total disuse, a decision taken when the *Dogana da Mar* had ceased to perform the function it had fulfilled for over four hundred years. Ironically, a building of rather modest utilitarian design was now nothing more than part of a magnificent backdrop, thanks to its location at the point where the Grand Canal flows into St. Mark's Basin.

II. These few introductory remarks make it clear why the opening of the Centre of contemporary art in June 2009 will mark the conclusion of a series of events that have no parallel in recent Venetian history. And before turning to look at the particular characteristics of the exhibition spaces as designed by Tadao Ando, one should perhaps consider the more recent circumstances that led up to this happy result.

That chain of events began back in 2000, when the François Pinault Foundation announced that it was to create a new exhibition space for contemporary art on the Île Seguin, an island in the Paris stretch of the Seine; intended to house the cultural initiatives promoted by the François Pinault Foundation, this new «museum» was to occupy the old Renault car factories which had been standing empty since the late 1990s. In 2001 a competition for designs was held, attracting projects from the likes of Manuelle Gautrand, Rem Koolhaas, MVRDV, Steven Holl, Dominique Perrault and Tadao Ando; for the reasons François Pinault himself outlines in this very book, it was the latter's proposal which was chosen. But once the design competition had been decided, a number of bureaucratic difficulties and obstacles of various kinds prevented work from getting underway. One postponement followed upon another, until even the starting-date of mid-2004 had to be scratched. At which point, François Pinault began to think of an alternative solution.

That solution took on more concrete form when the possibility arose of acquiring Palazzo Grassi in Venice, which since the early 1980s had been owned by FIAT and hosted a number of highly successful exhibitions. Despite the complexity of the institutional questions raised by FIAT's decision to withdraw from Venice, the work of the then mayor of the city, Paolo Costa, and the director of Venice City Museums, Giandomenico Romanelli, would open the way to the signing of an agreement in April 2005: the Artémis Group, headed by François Pinault, now assumed control of Palazzo Grassi. Soon afterwards, in an article entitled *Île Seguin: je renounce* – published in «Le Monde» on 10 May 2005 – Pinault would announce that he had resigned himself to the impossibility of implementing his proposal for the redevelopment of the old Renault factories. And thus an *affaire* that, amid heated controversy, had dragged on for a number of years came to an end.

However, Pinault's decision to abandon his scheme for the construction of a «museum» in Paris did not undermine his relationship with the architect he had chosen for the project. In fact, within days of entering into possession of Palazzo Grassi, he would decide to appoint Tadao Ando to work on the restoration and refurbishment of the building – work which in 1985 FIAT had commissioned to Gae Aulenti.

That ambitious FIAT project had marked just one in a long series of radical changes to the palazzo. Built by Giorgio Massari in the mid eighteenth century for the recently ennobled Grassi family, which originally came from Chioggia, the building had changed hands a number of times during the course of its history, these changes of ownership often being accompanied by restructuring work. In 1840 the last heir of the Grassi family sold the building to the Società Veneta Commerciale, and thereafter this vast palazzo on the Grand Canal would suffer the various vicissitudes which are described in Giandomenico Romanelli's detailed reconstruction of its history.

During the nineteenth century, the building would for a time be a lodging-house, before again being converted to serve as a stately residence. At this latter stage in its career, the property was extended to embrace the garden behind it, which would subsequently become the site of an open-air theatre that itself would later be roofed-in (this is the present-day «teatrino», of which more will be said below). At the beginning of the twentieth century, Palazzo Grassi was then bought by the heir to one of the leading entrepreneurial families of modern Venice: Giovanni Stucky. And as had happened on each previous occasion, this change in ownership would lead to various alterations to the structure, the layout of the rooms and the interior décor. When the building was purchased in the 1940s by another famous Venetian entrepreneur, Vittorio Cini, the palazzo would again undergo alterations, before being sold on soon afterwards to the Società Immobiliare Veneziana, a company headed by Franco Marinotti, who in 1951 would make this the premises of his Centro internazionale delle arti e del costume. Now a venue for exhibitions and other cultural activities, the building naturally underwent further changes. However, the Centre set up by Marinotti would rapidly go into decline, and the palazzo changed hands once more. Finally, in 1984, came the acquisition by FIAT, via its subsidiary Palazzo Grassi SpA. Transformed into a fully-equipped exhibition venue, the building opened two years later with a show dedicated to Futurism, the first in a series of important exhibitions held here.

III. Operating with an efficiency and speed which equalled that shown by FIAT, the François Pinault Foundation would begin the new renovation of Palazzo Grassi in 2005. However, the strategy behind Tadao Ando's project was different to that adopted by Gae Aulenti, being inspired by a sort of laconic restraint. The work on the interiors was soon completed, and by April 2006 Palazzo Grassi opened once again, with an inaugural exhibition entitled *Where Are We Going?*. Over the next three years (April 2006-March 2009), the venue would host a total of five other exhibitions: *Picasso*; *La joie de vivre. La collezione François Pinault*; *Una selezione Post-Pop, Sequence 1*; *Roma e i Barbari*; *Italics*.

Whilst this activity got underway, Ando was commissioned to work on a project for the functional restoration of the above-motioned «teatrino», which was directly linked to Palazzo Grassi. Furthermore, the presence of the François Pinault Foundation in Venice and the various cultural initiatives taken at Palazzo Grassi had another effect, leading to the exploitation of an opportunity which, in 2005, was still to be seized: the scheme for the transformation of the Punta della Dogana warehouses into an exhibition or museum venue passed rapidly from being a promising idea to an actual reality.

For some time, public administrators, politicians and figures in the world of culture had underlined the potential of a building that was one of the most distinctive in Venice – and occupied a prime site at the very tip of the island separating the Grand Canal and the Giudecca Canal as they flow into St. Mark's Basin. Long before 2005, the City Council, the Venice Biennale and the Solomon R. Guggenheim Foundation had – in various ways and with more or less concrete proposals – expressed their interest in promoting the redevelopment of Punta della Dogana; in at least one case, this interest resulted in the drawing-up of a fully-fledged architectural project. Then, in 2005, the newly-elected mayor of the city, Massimo Cacciari, placed particular stress on the need to overall Venice's entire system of museum facilities, including within this «need» the redevelopment of Punta della Dogana.

Having reached an agreement with the State, which was now willing to cede control over the long-abandoned warehouses, the Venice City Council then had to overcome no small number of obstacles before announcing a competition for projects to transform the old Punta della Dogana complex into a contemporary art museum. Submissions to the competition then came from the Guggenheim Foundation, which intended to draw upon the services of Zaha Hadid for the restoration and redevelopment work, and from the François Pinault Foundation with Tadao Ando. Once the latter proposal had been declared the winner, a partnership agreement was signed between the mayor, Massimo Cacciari, and François Pinault on 8 June 2007, committing the city and the Foundation to the creation of the *Centro d'arte contemporanea di Punta della Dogana*.

From this date onwards, work would progress with unusual speed, in part due to the complete harmony of intent that reigned between the client, the architect, the city administration and the *Soprintendenza* responsible for Venice's architectural heritage; another key contribution also came from the great efficiency shown by the Italian associates chosen by Ando and by the general contractor. In effect, the completion of the whole project in less than two years makes this entire scheme a model for similar undertakings elsewhere in Italy.

For his part, Ando produced the overall project designs with great speed, this phase being followed by the drawing-up of detailed working plans for use on site. From the drawings reproduced in this book, one can see that right from the very beginning the broad guidelines of the scheme were clear. For one thing, the characteristic layout of parallel warehouses running between the Grand Canal and the Giudecca Canal was to be maintained. After extensive work to consolidate the foundations and protect the structure against the effects of humidity and high water, the project set itself was the goal of creating some 3,330 square metres of exhibition space – in part, through the substantial remodelling of the raised floor levels.

Those first sketches also reveal that right from the beginning Ando had proposed the creation within the building of a new enclosed space, rising from floor to roof. Initially, this was to stand towards the barycentre of the triangular complex, whose structure and layout was to be preserved, and it would be cylindrical in form. (The cylinder recurs frequently in Ando's buildings, whether intended for museum use or not). Subsequently, it was decided to shift this enclosure closer to the middle section of the structure and to make it a cube. Now exploiting a «courtyard» that had previously been created within the building (but had not been part of its original floor plan), this cube was similar in form and finish to the spaces Ando had created in other contexts comparable to that of Punta della Dogana. Rising vertically within the courtyard space, it was to be made in smooth and polished reinforced concrete, the material which had become the very leitmotif of the architect's work.

Restoration of the existing brickwork was then completed. Revealing the various stratifications within the structure, this aimed to leave the bare brick surfaces as silent witnesses to the very history of the building. It would now be possible to see the whole series of alterations which had been made to the interior without fundamentally changing the external shell. Such traces, in various materials, were left to speak for themselves, without any comment from the architect. However, amidst them Ando would intervene at a few clear and precise points, using for his own work a limited range of materials. In designing these additions he was particularly concerned with the route that visitors would follow as they passed from one warehouse to another, and from the ground floor up to the raised floor level. The final result is a progression that unfolds along an ideal axis through the entire structure, from the entrance in the west wall to the end space that rises the full height of the building and overlooks St. Mark's Basin. Whilst the new openings in the brick walls take the most understated form possible, there is no attempt to disguise the location of the technological facilities and apparatus serving the needs of the museum: they are housed within parallelepipeds of smooth concrete that stand under the raised floor area. When seen alongside the wear and tear of the walls alongside them, these blank, chromatically neutral – almost enigmatic – housings become a calculated assertion of «otherness».

Visitors enter the building near the flight of steps that lead up to the church of Santa Maria della Salute. From there, they will flow through the building to the space surmounted by the small tower on which turns the, now restored, statue of Fortune. Their route from one end of the building to the other inevitably brings them to the square courtyard defined by the smooth concrete walls of the central «cube». Broken only by two openings that enable visitors to move through them, these walls are 30 centimetres thick, 16 metres long and more than 6 metres high.

For all its clear visibility, this addition – just like the stairs up to the raised floors, the balustrades and handrails that flank them, and the few other finishings added to the building – all seem to be predicated upon one rule: new materials and new structures should just brush against the existing walls, almost without touching them at all. The result of this is a continuous series of «intervals», which build up in a sort of *crescendo* to the powerfully abrupt appearance of the cubic courtyard at the very centre of the exhibition layout. Between the building that took shape in the seventeenth century and the additions or substitutions that have been made now, there is no attempt at mediation or dissemblance. It is almost as if Ando had decided that the volumes and surfaces inserted within the building should mark out the stratifications which already existed within it, offering us a coherently-organised spectacle of the flow of time itself.

This impression is further strengthened when one notes the stress Ando places on the contrapositions – both visual and tactile – between the work he himself has designed here and the shell within which it is contained. The materials he uses are smooth, ascetic and shorn of all imperfections; they offer no resistance to the hand that brushes across them. On the other hand, the walls that separate the warehouses and bear up the truss roofing are worn, corroded and uneven, mixed together with *ad hoc* adjustments added over time. Openly admitted to, these intervals between the then and the now give us an opportunity to gauge a distance that becomes both physical and tactile.

This intention is particularly clear in the way the central courtyard is isolated from the space it occupies – the one peremptory gesture in Ando's entire project. The slight intervals and distances that one can note throughout the new interior now undergo a radical shift in scale. Suddenly, what we have is an explicit contrapuntal demonstration of the contrast between the abstract and the organic – a demonstration that draws upon the direct display of differences in date, duration, technologies and even cultures. The «organic», familiar appearance of the brick walls that have been exposed by the restoration work contrasts sharply with both the form and material of the central space: openings here are modelled with surgical precision and the single material used is treated with such delicacy of finish that the concrete walls reflect light and feel like silk. To make the significance of this contrast even clearer, it is only within the courtyard contained by these mirror-like walls that Ando has chosen to restore the old stone flooring. Replaced throughout the rest of the building by a new floor of smooth concrete, these old *masegni* here become a sort of quotation of the silent past.

Natural light enters the exhibition spaces not only through the roof skylights but also through the side openings in the old structure. In his design for these, Ando makes a further «quotation» that is rich in significance: the grills over the openings made within the old seventeenth-century building are accurate reproductions of the wonderful gate that Carlo Scarpa designed for the Olivetti shop within the Procuratie Vecchie in St. Mark's Square (1956). For his entire project, in fact, Ando had at one point considered modelling the whole of the internal flooring on that which Scarpa designed for his monumental Brion tomb. And this quotation of the same architect's work at the Olivetti shop could be said to «speak volumes». From his own cultural background, Ando has learnt that perfection is to be achieved through the elimination of the non-essential, and in his work on Punta della Dogana he rigorously applied a tried-and-trusted strategy of design, drawing upon means of architectural expression with whose potential he is thoroughly conversant. However, in here giving voice to an architectural language different to his own, he could be said to be espousing a lesson which runs through the whole of Scarpa's career. For if there is one thing to be learnt from the Italian's work, it is that, when measuring himself against the past, the worst insult an architect can offer to his own day is to shy away from his duty to express his own time, choosing instead to take refuge in mere mimesis of that which the great builders of the past have bequeathed us.

FRANCESCO DAL CO
DE DOUANE DE MER À MUSÉE.
PUNTA DELLA DOGANA,
VENISE, TADAO ANDO ET
FRANÇOIS PINAULT

I. SI PEU FIABLE qu'il soit, le livre *Curiosità veneziane* de Giuseppe Tassini (1863) était réputé pour être, d'après Julius Schlosser, une «mine de nouvelles». Parmi elles, certaines concernent l'organisation des Douanes vénitiennes et donc également de Punta della Dogana.

«A Venise, jusqu'en 1414» lit-on dans *Curiosità veneziane*, «toutes les marchandises étaient déchargées et pesées à San Biagio di Castello. Mais en raison de leur affluence croissante, le lieu devint trop étroit. Deux douanes furent alors édifiées, l'une pour les biens provenant de la terre ferme à Rialto et l'autre pour les biens provenant des voies maritimes, sur une bande de terre, encore marécageuse jusqu'en 1313, ou 1316, et qui était appelée *Punta del Sale* (Pointe du Sel) en raison de la présence des entrepôts de sel ou encore *Punta della Trinità* (Pointe de la Trinité) vu sa proximité avec l'église et le monastère de la Trinité détruits quand, en 1631, fut construite l'église de Santa Maria della Salute. La Douane de Mer, qui était à l'origine dominée par une tour, comme le prouve un plan de Venise attribué à Alberto Durero, fut reconstruite en 1525. Elle fut ensuite de nouveau rebâtie en 1675 par l'architecte Giuseppe Benoni».

La présence d'un entrepôt utilisé pour le stockage du sel à proximité de ce qui est alors la Douane de Mer remonte au début du XVème siècle et la célèbre carte de Venise de Jacopo de' Barbari datant du XVIème siècle offre déjà une vision détaillée de l'ensemble du secteur. Trente ans après l'achèvement de l'ouvrage de de' Barbari, les chantiers furent retirés de l'ensemble de la zone et les rives des Zattere furent consolidées en pierre.

Les dates évoquées par Tassini et les différentes études réalisées par la suite suggèrent toutefois d'inscrire la réparation des entrepôts de sel et de Punta della Dogana à l'intérieur d'un processus qui, déjà vers la moitié du XIVème siècle, conduisit à l'apparition de la «forme de la ville» pour en garantir l'honneur et la gloire à venir, comme l'a expliqué Ennio Concina, à partir de la réforme du «port-canal de Saint-Marc», selon Francesco Petrarca «porto pubblico dell'umano genere». Au fil de ses diverses transformations, Punta della Dogana maintint au cours des siècles sa fonction d'origine et conserva cette configuration qu'on lui connait encore aujourd'hui, en parfaite harmonie avec l'architecture d'une des plus belles œuvres jamais érigées à Venise, l'église de Santa Maria della Salute. Sa construction commença en 1631, après la réalisation du vœu formulé l'année précédente de mettre fin à l'épidémie de peste, et fut confiée à Baldassare Longhena, architecte de Saint-Marc. L'espace sur lequel elle fut édifiée se situait entre l'entrepôt de sel et la douane, alors occupé par le monastère de la Trinité.

Les difficultés que Longhena dut affronter pour construire Santa Maria della Salute rendent compte de la nature des terrains sur lesquels était bâtie Punta della Dogana, la destinant à être un jour ou l'autre réétudiée (et donnent par la même occasion une idée des obstacles à surmonter lors de sa restructuration en 2009). On se souvient par exemple que à peu près 13.000 pilotis de chênes furent nécessaires à la fondation du temple de la Salute.

D'abord en concurrence, puis en collaboration avec Longhena, Giuseppe Benoni fut également impliqué dans la construction de Santa Maria della Salute, en tant qu'expert, en particulier pour mesurer les effets produits par le mouvement des eaux sur des édifices de cette nature. En cette qualité, quand Longhena proposa de prolonger la rive faisant face au temple, ce fut Benoni lui-même qui prit la responsabilité de prononcer un avis favorable. Quand il fut décidé de reconstruire Punta della Dogana, les projets suggérés par Longhena en 1676-1677, ainsi que ceux de Giuseppe Sardi, furent écartés et c'est celui de Benoni qui fut retenu.

L'édifice réalisé par Benoni, de par son emplacement plus que par ses qualités architecturales, vinrent compléter l'image et la forme du bassin de Saint Marc. Sa position stratégique lui permit, principalement au XVIIIème et au XIXème siècles, d'être l'objet de toutes les attentions, l'amenant cependant à subir de nombreuses transformations selon les nouvelles fonctions qui lui étaient attribuées, mettant alors en péril sa solide structure et la laissant dans un état de dégradation visible lorsque la décision est prise de le transformer en Centre d'art contemporain de la François Pinault Foundation. En outre, il fut pris comme modèle et joua un rôle majeur dans la conception de nombreux projets visant la réforme urbaine de Venise, qu'il s'agisse des travaux réalisés à Castello et sur les berges du bassin de Saint Marc ou de projets de modernisation de la voirie et de restructuration des Zattere (sur lesquels fut même imaginée, au XIXème siècle, la construction d'un chemin de fer allant jusqu'à Punta della Dogana). La Pointe devint le point d'ancrage, comme le rappelle Giandomenico Romanelli, d'un établissement balnéaire et thermale flottant, jusqu'en 1833. Au XXème siècle, les entrepôts de la douane subirent d'importants réaménagements. Des travaux de rénovation de la structure, notamment au niveau des combles et des toitures, furent réalisés sans tenir aucunement compte de l'architecture originelle de l'édifice. Ces dernières interventions n'auront toutefois pas permis de prévenir d'ultérieures dégradations et le bâtiment finit par être abandonné par l'administration de l'Etat. Quand les douanes italiennes quittèrent définitivement leurs locaux à Punta della Dogana, la laissant à son triste sort, la Douane de Mer avait déjà perdu les fonctions qu'elle occupait depuis plus de quatre siècles. Vu son emplacement et en dépit de la modestie de sa conception architecturale à but utilitaire l'édifice n'était plus qu'un magnifique décor, à l'embouchure du Grand Canal et aux premières loges du spectacle offert par le bassin de Saint Marc.

II. Ces quelques brefs rappels expliquent pourquoi l'inauguration de Punta della Dogana, au mois de juin 2009, doit être considérée comme la conclusion d'une aventure sans égale dans l'histoire récente de la ville de Venise. Toutes les étapes préliminaires et les rebondissements de cette affaire méritent d'être rappelés avant de détourner notre attention sur les particularités qui caractérisent le nouveau Centre d'art contemporain conçu par Tadao Ando. Pour cela, il est nécessaire de retracer certains événements ayant eu lieu il y a presque une décennie. C'est, en effet, en 2000 que la François Pinault Foundation rend publique sa volonté de réaliser un centre d'exposition dédié à l'art contemporain et communique son intérêt pour l'Île Seguin, sur la Seine aux portes de Paris.

Un concours est lancé en 2001 pour la conception de ce «musée», destiné à abriter les initiatives promues par la François Pinault Foundation, sur le site occupé auparavant par les usines Renault abandonnées depuis la fin des années 90. Parmi les projets présentés par Manuelle Gautrand, Rem Kolhaas, MVRDV, Steven Holl, Dominique Perrault et Tadao Ando, c'est celui de ce dernier qui est choisi pour des raisons que François Pinault lui-même explique dans cet ouvrage. Cependant, après 2001, juste après l'issue du concours, des obstacles bureaucratiques et des complications de diverses natures repoussent le commencement des travaux de réalisation du nouveau centre d'art. Quand est démentie l'annonce que la construction débuterait au milieu de l'année 2004, François Pinault envisage une solution alternative.

Cette solution se concrétise quand se profile la possibilité d'acheter Palazzo Grassi à Venise, appartenant depuis les années 80 à la FIAT, elle-même initiatrice d'une activité culturelle intense et à l'origine de nombreuses expositions à succès. Malgré un cadre institutionnel complexe, suite au retrait de la FIAT de la ville de Venise et à l'action menée par le maire de l'époque, Paolo Costa, et par le directeur des Musei Civici Veneziani, Giandomenico Romanelli, en avril 2005 le groupe Artémis, dirigé par Pinault, fait l'acquisition de Palazzo Grassi. Le 10 mai 2005, «Le Monde» publie un article intitulé *L'Île Seguin: je renonce*, signé par François Pinault lui-même, dans lequel il déclare avoir pris acte de l'impossibilité de poursuivre son projet de réutiliser les anciennes fabriques parisiennes de Renault. Il met ainsi fin à une aventure qui s'est étendue de longues années ponctuées de vives polémiques. La décision de Pinault de renoncer à la construction du «musée» à Paris, n'entame pas pour autant ses relations avec l'architecte japonais choisi pour le concevoir. En effet, une fois en possession de Palazzo Grassi, Pinault prend très vite la décision de confier sa restauration à Ando, qui succède donc à Gae Aulenti, l'architecte des travaux commandités par la FIAT en 1985.

L'ambitieux programme adopté par la FIAT représente alors l'énième restructuration radicale du palais construit par Giorgio Massari à la moitié du XVIIème siècle pour la famille Grassi, originaire de Chioggia et de noblesse plutôt récente. Avant 1985, le palais a, en effet, déjà subi plusieurs transformations, provenant des nombreuses opérations d'achat et de vente dont il fut l'objet. Vers 1840, le dernier héritier des Grassi cède le palais à la Societa Veneta Commerciale. Par la suite, le vaste édifice surplombant le Grand Canal à San Samuele a vécu d'autres péripéties, restituées en partie par Giandomenico Romanelli. Au cours du XVIIIème siècle, il est d'abord utilisé comme une *locanda* puis de nouveau comme une luxueuse demeure à laquelle est incorporé un jardin à l'arrière, transformé par la suite en un théâtre plein air destiné à être recouvert (l'actuel «teatrino», qui sera cité plus loin). Puis, au début du XXème siècle, Palazzo Grassi est acheté par l'héritier d'une des familles distinguées de la classe entrepreneuriale moderne de Venise, Giovanni Stucky. Le palais subit alors d'autres transformations qui viennent encore bouleverser sa structure, son organisation et ses ornements décoratifs. Peu après, dans les années 1940, il est racheté par un célèbre entrepreneur vénitien, Vittorio Cini, conduisant de nouveaux travaux de réforme alors que, peu de temps plus tard, il est cédé à la Società Immobiliare Veneziana, dirigée par Franco Marinotti, qui choisit d'en faire le siège du Centro internazionale delle arti e del costume (1951). Au début des années 50, soumis à d'ultérieures transformations, une nouvelle fonction est attribuée à Palazzo Grassi, celle de lieu d'exposition, de conférences et d'événements culturels. Mais le Centre d'art voulu par Marinotti s'épuise rapidement et le palais change encore de main en 1984, lors de son rachat par la FIAT qui le transforme définitivement en lieu d'exposition. Il accueille deux ans plus tard la première d'une longue série de grandes expositions dédiées au Futurisme.

III. A partir de 2005, travaillant avec non moins d'efficacité que le fit en son temps la FIAT, la François Pinault Foundation réorganise de nouveau Palazzo Grassi. Suivant une stratégie conceptuelle différente de celle adoptée par Gae Aulenti, les interventions de rénovation des espaces s'effectuent de façon précise et assurée et s'achèvent rapidement. A la fin du mois d'avril 2006, le palais ouvre ses portes en inaugurant sa première exposition intitulée *Where Are We Going?*. Au cours des trois années qui ont suivies (avril 2006-mars 2009), cinq autres expositions ont été présentées: *Picasso. La joie de vivre, La collezione François Pinault. Una selezione Post-Pop, Sequence 1, Roma e i Barbari, Italics*.

Pendant que cette activité se développe, Ando est appelé à élaborer un projet de restauration et de restructuration du «teatrino», directement relié à Palazzo Grassi. L'arrivée de la François Pinault Foundation à Venise et les initiatives proposées par Palazzo Grassi ont également contribué à porter à maturation l'un des projets les plus prometteurs pour la ville, qui depuis 2005 attendait toujours d'éclore: la transformation des entrepôts de Punta della Dogana en un nouveau lieu d'exposition ou institution muséale.

Ce projet, destiné à valoriser l'un des plus caractéristiques bâtiments vénitiens, placé à l'embouchure du bassin de Saint Marc entre le Grand Canal et le canal de la Giudecca, avait été évoqué par de nombreux hommes de culture, administrateurs publics et hommes politiques. Bien avant 2005, l'administration communale de Venise, la Biennale di Venezia et la Solomon R. Guggenheim Foundation avaient déjà exprimé à plusieurs reprises, de façon plus ou moins concrète, leur intérêt pour Punta della Dogana en élaborant des propositions pour sa réutilisation. Celles-ci furent entendues et devinrent plus concrètes en 2005, dès lors que le maire de Venise, Massimo Cacciari, élu la même année, souligna avec emphase l'urgence d'affronter la question de la réorganisation du système muséal vénitien, en insérant dans ce contexte le problème de la récupération des entrepôts de Punta della Dogana. Une fois conclu avec le Demanio dello Stato l'accord selon lequel il accepte de concéder la Douane de Mer depuis longtemps abandonnée, l'administration communale de Venise, surmontant quelques obstacles, organise un concours pour la transformation des entrepôts en un musée dédié à l'art contemporain. Participeront à ce concours la Guggenheim Foundation avec un projet de Zaha Hadid pour la réalisation des travaux et la François Pinault Foundation, qui le 8 juin 2007 est déclaré lauréat. La convention de partenariat pour la création d'un Centre d'art contemporain entre le maire Massimo Cacciari et François Pinault est alors signée.

Les travaux de construction du nouveau centre ont tout de suite commencé puis ont été porté à leur terme avec une inhabituelle rapidité. Ils se sont achevés en moins de deux ans et ce résultat, qui devrait servir de modèle pour de nombreuses raisons à d'autres situations analogues en Italie, a été obtenu grâce à une harmonie parfaite entre les différents acteurs ayant participé au projet, le mécène, l'architecte, l'administration communale, la Surintendance aux monuments, et grâce à l'efficacité avec laquelle ont travaillé les collaborateurs italiens choisis par Ando et l'entreprise de construction.

De son côté, Tadao Ando a très vite élaboré un projet. Si l'on observe ses dessins, on remarque que dès le départ les grandes lignes de son intervention étaient déjà tracées. L'agencement caractéristique des entrepôts disposés linéairement le long des rives du Grand Canal et du canal de la Giudecca devait être conservé. Il a commencé par réaliser d'imposants travaux de refondation mettant à l'abri les espaces à la fois de l'humidité et des dangers causés par la marée haute puis a réaménagé les combles existants dans le but de protéger et d'équiper un espace de près de 3300 mètres carrés.

Au barycentre du triangle que forme l'édifice de Punta della Dogana, les premiers croquis de Tadao Ando laissent déjà entrevoir la construction d'un espace occupant toute la hauteur sous plafond, comme un pivot positionné à l'intérieur d'un des entrepôts centraux, fait dans ce béton armé lisse et poli qui est désormais reconnu comme la signature de l'architecte dans chacune de ses constructions. Au départ, cet espace devait adopter la forme d'un cylindre, figure récurrente dans l'architecture de Tadao Ando et présente dans de nombreux bâtiments qu'il a conçus et qui abritent aujourd'hui des musées. Par la suite, cet axe autour duquel sont distribuées les salles d'exposition et se déroule le parcours de visite, a revêtu la forme d'un cube qui traverse verticalement la pièce dans laquelle il se trouve, rappelant une «cour» qui existait auparavant, mais qui n'était toutefois pas présente dans l'édifice original.

Quand les travaux ont commencé, les interventions de restauration des murs ont été entreprises avec l'intention de mettre en lumière les stratifications successives qui les ont configurés et qui permettent d'en illustrer l'histoire et les aventures ayant progressivement modifié l'intérieur de l'espace. Ando a éparpillé, entre toutes ces multiples strates de textures diverses à nouveau apparents, des éléments isolés, recourant à une gamme restreinte de matériaux. En les dessinant il a porté une attention toute particulière à la continuité du parcours, consentant l'accès d'une nef à l'autre, du rez-de-chaussée au premier étage, et prédisposant un trajet suivant l'axe idéal qui traverse les entrepôts depuis l'entrée à l'ouest de l'édifice jusqu'à la salle faisant face au bassin de Saint Marc, occupant toute la hauteur sous plafond. Alors que de nouveaux passages ont été percés dans les murs des entrepôts de la façon la plus anonyme possible, la présence des installations et des équipements technologiques requis par le musée a été explicitement exhibée. Ces appareillages ont été dissimulés derrière des murs de béton lisse et poli, disposés sous les combles. Ces parois chromatiquement neutres, réduites à l'essentiel et presque énigmatiques arborent froidement leur supériorité par rapport au bâtiment antique et tourmenté qui les abrite.

Le parcours partant de l'entrée, sur le parvis de l'eglise Santa Maria della Salute, et se terminant aux pieds de la remarquable façade surplombant le bassin de Saint Marc, aux pieds de la tour sur laquelle tourne au vent la statue de la Fortune aujourd'hui restaurée, conduit à la cour carrée délimitée de murs de béton. Ces quatre murs, interrompus seulement par deux ouvertures permettant la circulation des visiteurs, sont épais d'une trentaine de centimètres, longs de seize mètres et hauts de plus de six mètres.

En dépit de sa présence massive, cet ajout, tout comme les escaliers conduisant aux paliers supérieurs, les balustrades qui le complètent, les rampes et les quelques finitions qui y ont été faites, semble respecter une règle unique; celle qui impose que les matériaux neufs et les structures nouvelles ne fassent qu'effleurer, sans les toucher, les constructions déjà existantes, donnant ainsi vie à des intervalles continus allant crescendo et aboutissant à l'apparition de cette cour cubique au centre du parcours. Entre les vestiges du XVIIème siècle et ces interventions, on n'observe donc aucune tentative de camouflage ou de dissimulation, mais plutôt une continuité dans l'assemblage de ces éléments, comme si Tadao Ando, par un jeu de juxtaposition, avait choisi d'introduire des volumes entre les innombrables strates qui forment l'édifice, permettant au visiteur de contempler le résultat du temps qui passe sur sa structure.

Cette impression est d'autant plus forte lorsqu'on remarque la contraposition évidente des qualités tactiles et visuelles des matériaux qu'Ando a imaginés et de ceux à l'intérieur desquels il a du travailler. Les matières qu'il a choisi d'utiliser pour réaliser ses ajouts sont lisses, aseptisées, privées de toute imperfection et telles qu'elles n'opposent aucun obstacle à une main qui les effleure. En revanche, irréguliers, érodés, mélangés et accidentés sont les murs sur lesquels se sont abattus les siècles et qui stabilisent les cloisons séparant les entrepôts et soutiennent la charpente de la toiture. Les intervalles et les incisions qui séparent les uns des autres permettent à présent d'en mesurer physiquement la distance par le biais du simple toucher.

Cette règle et les finalités qui ont induit son adoption sont rendues évidentes par la façon avec laquelle la cour centrale est isolée dans l'espace qu'elle occupe, seul geste péremptoire qu'Ando a accompli en élaborant le projet. Les micro-intervalles, qui peuvent être observés à chaque passage de la construction, subissent en cet endroit un changement de perspective; soumis à une dilatation inattendue, ils cèdent la place à une représentation claire de la rencontre de l'abstraction avec l'organicité, profitant de l'évidence avec laquelle les écarts de temps, de durées, de techniques et enfin de cultures sont offertes à la vue. Ainsi, à l'aspect organique et familier des murs antiques remis à la lumière grâce au minutieux travail de décharnement déjà évoqué plus haut, l'espace central oppose ses surfaces et ses ouvertures modelées avec une précision chirurgicale et réalisées avec un matériau unique et un savoir-faire qui procure à la préparation de béton une douceur et une brillance qui reflètent la lumière et offrent au toucher une sensation proche de celle que pourrait produire une caresse sur un voile de soie. Pour rendre encore plus explicite cette contraposition, Ando a reproduit seulement à l'intérieur de cette cour délimitée de parois réfléchissantes l'ancien revêtement de pierres, qui a été en revanche supprimé dans toutes les autres surfaces d'exposition en faveur d'un sol lisse en ciment.

La lumière, qui se diffuse des lucarnes du toit, filtre dans la cour et dans les espaces d'exposition par les ouvertures latérales préexistantes, lesquelles ont fait l'objet d'une restauration particulière rendant manifeste une des références privilégiées par Ando tant elle est chargée de significations. Les grilles qu'il a dessinées pour les ouvertures de la façade sont des reproductions exactes de celles qui ont été réalisées, en 1956, par Carlo Scarpa pour le magasin Olivetti dans les anciennes Procuraties de la place Saint-Marc.

Ce rappel à l'architecture de Scarpa, à laquelle, au début du projet, Tadao Ando avait imaginé rendre hommage en prenant comme modèle le revêtement apposé sur la tombe monumentale Brion pour le sol des entrepôts, est éloquent. Intransigeant dans sa façon de s'appuyer sur des stratégies de conception éprouvées et de s'octroyer de moyens expressifs non moins expérimentés, prisant la sobriété et la concision, ayant appris de sa culture que la perfection de chaque chose est atteinte en éliminant tout ce qui ne lui est pas essentiel, Tadao Ando, en restaurant Punta della Dogana et en faisant appel à différents langages, a redonné voix à la leçon que Scarpa a donné tout au long de sa carrière. Cette leçon nous enseigne que dans la confrontation avec ce que lui confie le passé, l'affront le plus grave qu'un architecte peut faire au temps est de se refuser à laisser s'exprimer son propre temps, en se camouflant entre les plis de ce que le grand créateur a préservé pour lui-même et pour nous.

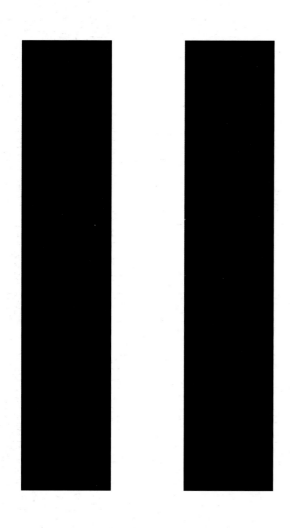

TADAO ANDO

ILE SEGUIN

2000–2001

Veduta dell'Île Seguin dalle rive della Senna.
View of the Île Seguin from the banks of the Seine.
Vue de l'Île Seguin à partir des rives de la Seine.

Interno di uno dei capannoni abbandonati della Renault.
Inside one of the abandoned Renault warehouses.
L'intérieur d'un des hangars abandonnés de Renault.

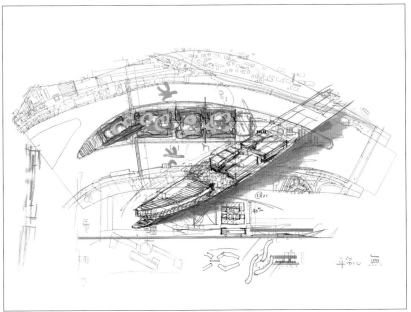

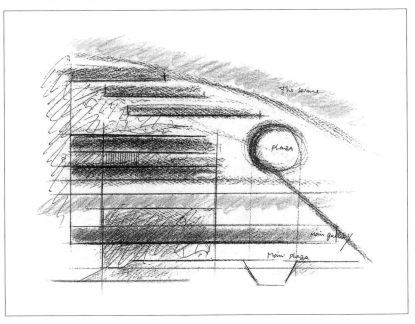

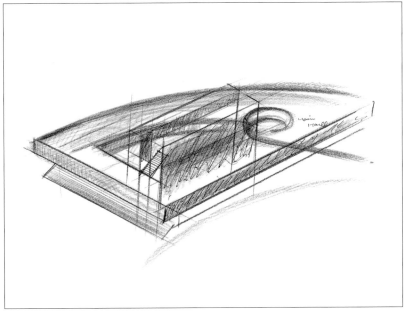

Tadao Ando, progetto per il Centro d'arte contemporanea, François Pinault Foundation, schizzi planimetrici e volumetrici di studio.

Tadao Ando, design for the Centre of contemporary art, François Pinault Foundation, planimetric and volumetric study sketches.

Tadao Ando, étude pour le Centre d'art contemporain, François Pinault Foundation, Croquis planimétriques et volumétriques d'étude.

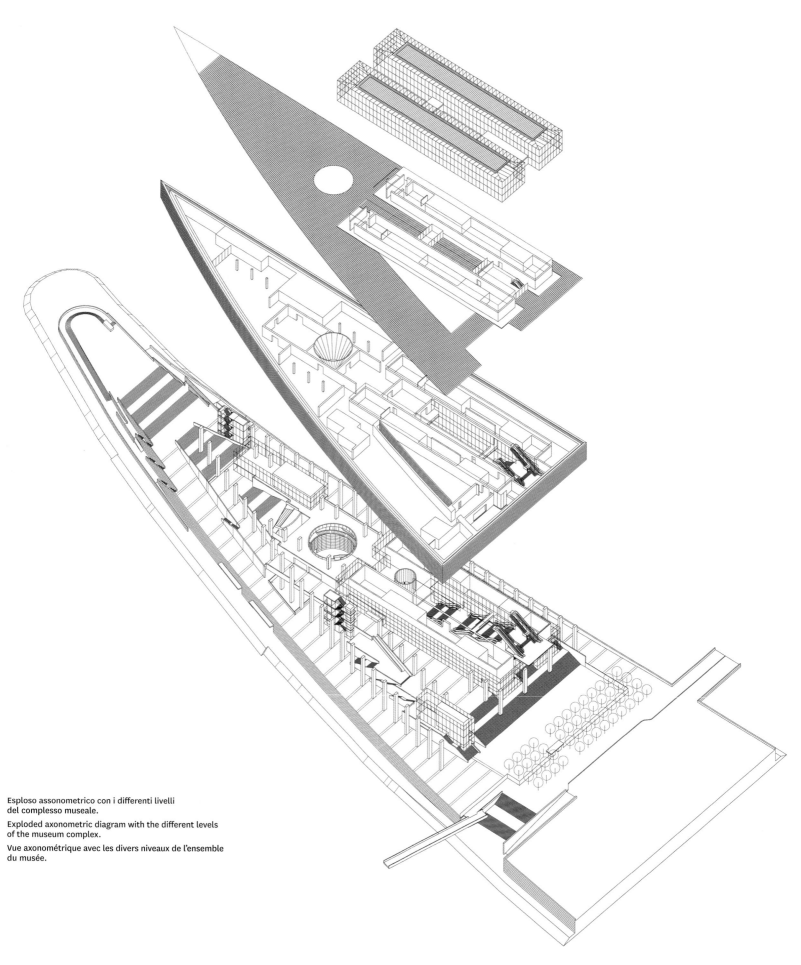

Esploso assonometrico con i differenti livelli
del complesso museale.

Exploded axonometric diagram with the different levels
of the museum complex.

Vue axonométrique avec les divers niveaux de l'ensemble
du musée.

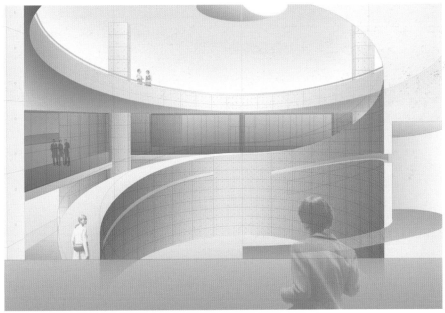

Modelli digitali del fronte interno e della hall circolare.

Digital models of the internal front and the circular hall.

Modèles numériques de la façade intérieure et du hall circulaire.

Vedute del modello dalla Senna e dal lato opposto.

Views of the model from the Seine and from the other side.

Vues du modèle de la Seine et de l'autre côté.

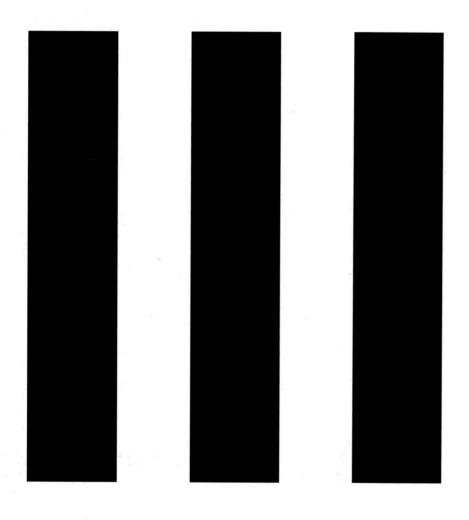

PALAZZO GRASSI

—2005

DALLA DIMORA DEI GRASSI A SEDE
DEL CENTRO INTERNAZIONALE
DELLE ARTI E DEL COSTUME

FROM THE GRASSI RESIDENCE
TO THE CENTRO INTERNAZIONALE
DELLE ARTI E DEL COSTUME

DE LA DEMEURE DES GRASSI AU SIÈGE
DU CENTRO INTERNAZIONALE DELLE
ARTI E DEL COSTUME

Facciata sul Canal Grande, 1949.
Grand Canal façade, 1949.
Façade sur le Grand Canal, 1949.

Fronte su calle Grassi e il giardino voluto dal barone
De Sina (proprietario dal 1857 al 1908), 1949.

Side facing onto calle Grassi, with the garden
commissioned by baron De Sina (owner from 1857
to 1908), 1949.

Façade sur calle Grassi et le jardin crée par le baron
De Sina (propriétaire de 1857 à 1908), 1949.

Corte interna prima delle trasformazioni novecentesche, 1949.

Internal courtyard before the changes in the twentieth century, 1949.

Cour interne avant les transformations du XIXème siècle, 1949.

Il salone del primo piano nobile sul Canal Grande dopo
i lavori del barone De Sina (decorazione ottocentesca),
1949.

The first-floor hall overlooking the Grand Canal after
the work commissioned by baron De Sina (nineteenth-
century decor), 1949.

Le salon du premier étage donnant sur le Grand Canal
après les travaux décidées par le baron De Sina
(décoration du dix-huitième siècle), 1949.

Sala degli Stucchi al primo piano, 1949.
The *Sala degli Stucchi* on the first floor, 1949.
La *Sala degli Stucchi* au premier étage, 1949.

Progetti per le trasformazioni previste dal Centro
internazionale delle arti e del costume, anni cinquanta.

Project of changes envisaged for the Centro
internazionale delle arti e del costume, 1950s.

Projets pour les transformations prévues pour le Centro
internazionale delle arti e del costume, années
cinquante.

Progetto per il teatro del Centro internazionale delle
arti e del costume, 1949-1950. Il progetto del teatro
è di Giovanni Sicher, quello della copertura mobile
di Cesare Pea.

Design for the theatre of the Centro internazionale
delle arti e del costume, 1949-1950. Theatre designed
by Giovanni Sicher; movable roofing designed by
Cesare Pea.

Projet pour le théatre du Centro internazionale delle arti
e del costume, 1949-1950. Le théatre est un projet
de Giovanni Sicher, la couverture mobile un projet
de Cesare Pea.

Il teatro del Centro internazionale delle arti
e del costume, 1951, allestimento per *La dodicesima
notte* di William Shakespeare.

The theatre of the Centro internazionale delle arti
e del costume, 1951, stage set for a production of William
Shakespeare's *The Twelfth Night*.

Le théatre du Centro internazionale delle arti
e del costume, 1951, projet pour *La douzième nuit*
de William Shakespeare.

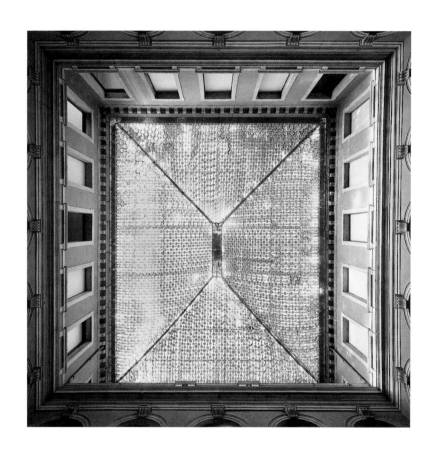

Velario di copertura della corte centrale con festoni
a sfere di vetro, lavori di restauro del 1951 voluti
da Franco Marinotti.

Curtain covering the central courtyard, with festoons
of glass spheres, restoration work of 1951 commissioned
by Franco Marinotti.

Rideau sur la cour centrale avec des cables à sphères
de verre, travaux de restauration de 1951 décidés
par Franco Marinotti.

Esposizione *Dalla natura all'arte*, 1960, allestimento
dell'atrio.

Dalla natura all'arte exhibition, 1960, layout
in the atrium.

Exposition *Dalla natura all'arte*, 1960, installation
dans l'atrium.

Centro internazionale delle arti e del costume, esposizione *Dalla natura all'arte*, sala con opere di Sofu Teshigara, 1960.

Centro internazionale delle arti e del costume, *Dalla natura all'arte* exhibition, room with works by Sofu Teshigara, 1960.

Centro internazionale delle arti e del costume, exposition *Dalla natura all'arte*, salle avec l'œuvre de Sofu Teshigara, 1960.

Centro internazionale delle arti e del costume,
esposizione *Venezia viva*, 1954. Allestimento di Egle
Renata Trincanato.

Centro internazionale delle arti e del costume, *Venezia
viva* exhibition, 1954. Exhibition design by Egle Renata
Trincanato.

Centro internazionale delle arti e del costume, esposition
Venezia viva, 1954. Projet de Egle Renata Trincanato.

Happening nella corte centrale di Palazzo Grassi
negli anni settanta.

Happening in the central courtyard of Palazzo Grassi
in the 1970s.

Happening dans la cour centrale du Palazzo Grassi
dans les années soixante-dix.

FIAT PALAZZO GRASSI SPA NUOVA SEDE
ESPOSITIVA

FIAT PALAZZO GRASSI SPA NEW
EXHIBITION VENUE

FIAT PALAZZO GRASSI SPA NOUVEAU
SIÈGE EXPOSITIF

Veduta dall'alto di Palazzo Grassi.
View of Palazzo Grassi from above.
Palazzo Grassi vu d'en haut.

Esposizione *Futurismo & Futurismi*, 1986. Allestimento
di Gae Aulenti.

Futurismo & Futurismi exhibition, 1986. Exhibition design
by Gae Aulenti.

Exposition *Futurismo & Futurismi*, 1986. Projet de Gae
Aulenti.

Esposizione *Futurismo & Futurismi*, 1986, subito dopo
il restauro di Gae Aulenti e Antonio Foscari. Allestimento
della mostra di Gae Aulenti.

Futurismo & Futurismi, 1986, first exhibition held after
the restoration work by Gae Aulenti and Antonio Foscari.
Exhibition design by Gae Aulenti.

Exposition *Futurismo & Futurismi*, 1986, tout de suite
après la restauration de Gae Aulenti et Antonio Foscari.
Projet de l'exposition par Gae Aulenti.

Esposizione *I Fenici*, 1988. Allestimento di Gae Aulenti.

I Fenici exhibition, 1988. Exhibition design by Gae Aulenti.

Exposition *I Fenici*, 1988. Projet de Gae Aulenti.

Esposizione *I Greci in Occidente*, 1988. Allestimento di Gae Aulenti.

I Greci in Occidente exhibition, 1988. Exhibition design by Gae Aulenti.

Esposition *I Greci in Occidente*, 1988. Projet de Gae Aulenti.

Esposizione *I Trionfi del Barocco. Architettura in Europa 1600-1750*, 1999. Allestimento di Mario Bellini, scenografie di Pier Luigi Pizzi.

I Trionfi del Barocco. Architettura in Europa 1600-1750 exhibition, 1999. Exhibition design by Mario Bellini, set design by Pier Luigi Pizzi.

Esposition *I Trionfi del Barocco. Architettura in Europa 1600-1750*, 1999. Projet de Mario Bellini, décors de Pier Luigi Pizzi.

Esposizione *Gli Etruschi*, 2000, allestimento di Francesco
Venezia, atrio centrale con *Figura spezzata* (1975)
di Henry Moore.

Gli Etruschi exhibition, 2000, exhibition design by
Francesco Venezia, central atrium with Hernry Moore's
Figura spezzata (1975).

Exposition *Gli Etruschi*, 2000, projet de Francesco
Venezia, atrium avec l'oeuvre *Figura spezzata* (1975)
de Henry Moore.

Esposizione *I Faraoni*, 2002, veduta della corte centrale.
Allestimento di Francesca Fenaroli.

I Faraoni exhibition, 2002, view of the central courtyard.
Exhibition design by Francesca Fenaroli.

Exposition *I Faraoni*, 2002, vue de la cour centrale.
Projet de Francesca Fenaroli.

Esposizione *Dalí*, 2004. Allestimento di Òscar Tusquets i Blanca.

Dalí exhibition, 2004. Exhibition design by Òscar Tusquets i Blanca.

Exposition *Dalí*, 2004. Projet de Òscar Tusquets i Blanca.

69

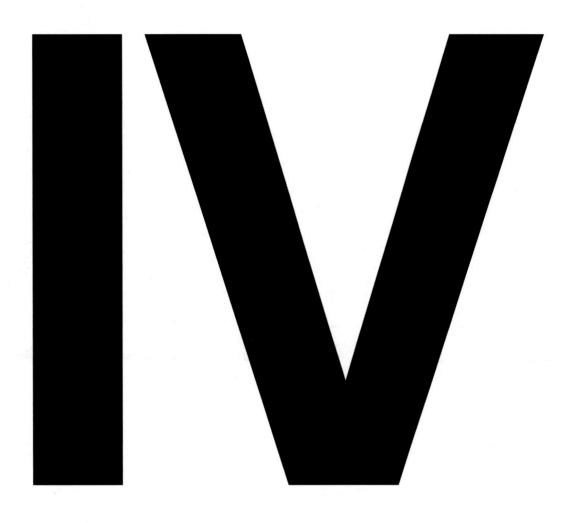

TADAO ANDO **PALAZZO GRASSI** 2005–2006

FRANÇOIS PINAULT
E IL GRUPPO ARTÉMIS

FRANÇOIS PINAULT
AND THE ARTÉMIS GROUP

FRANÇOIS PINAULT
ET LE GROUPE ARTÉMIS

Il nuovo lucernario sulla corte centrale.
The new skylight on the central courtyard.
La nouvelle lucarne sur la cour centrale.

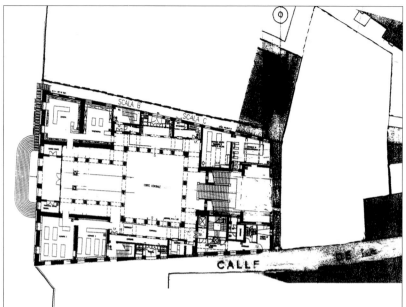
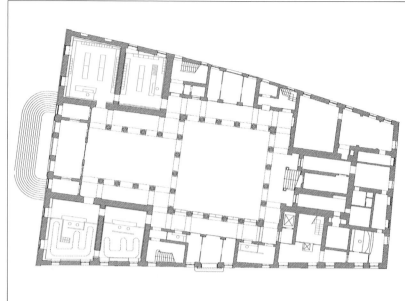
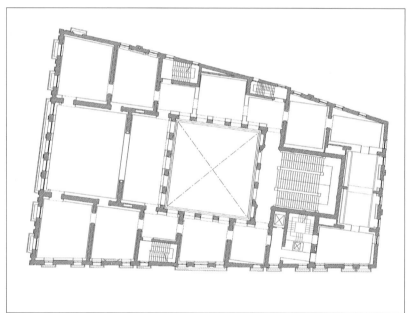
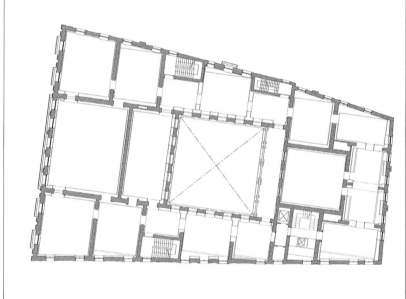

Piante del piano terra dell'esistente e piante di progetto
dei piani terra, primo e secondo.

Plans of the existing ground floor and the design plans
for the ground, first and second floors.

Plans du rez-de-chaussée de la partie existante et plans
de projet pour le rez-de-chaussée, le premier étage
et le deuxième.

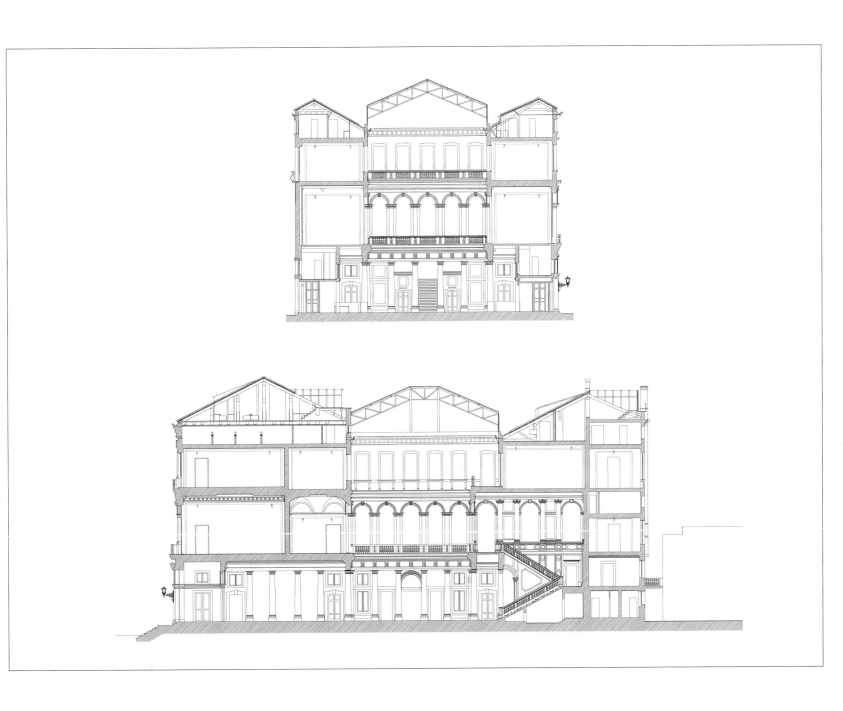

Sezione di progetto trasversale e longitudinale.
Transverse and longitudinal design section.
Coupe transversale et longitudinale de projet.

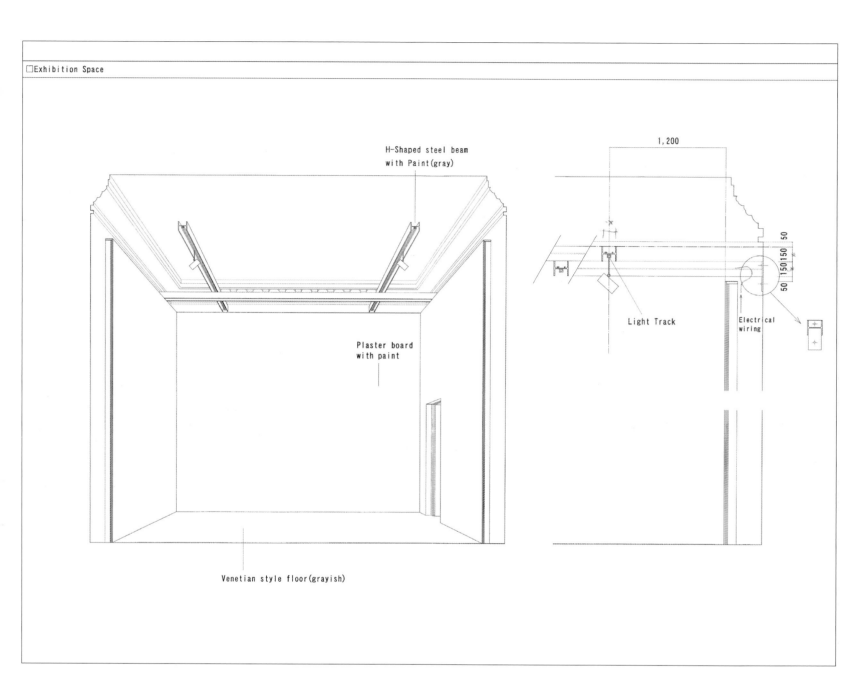

H-Shaped steel beam
with Paint(gray)

1,200

Plaster board
with paint

Light Track

Electrical
wiring

50 150 150 50

Venetian style floor(grayish)

Sezioni prospettica e di dettaglio dei sistemi a pannelli
e di illuminazione delle sale espositive.

Perspective and detailed sections of the panel systems
and lighting in the exhibition rooms.

Coupes en perspective et en détail des systèmes
de panneaux et d'éclairage des salles d'exposition.

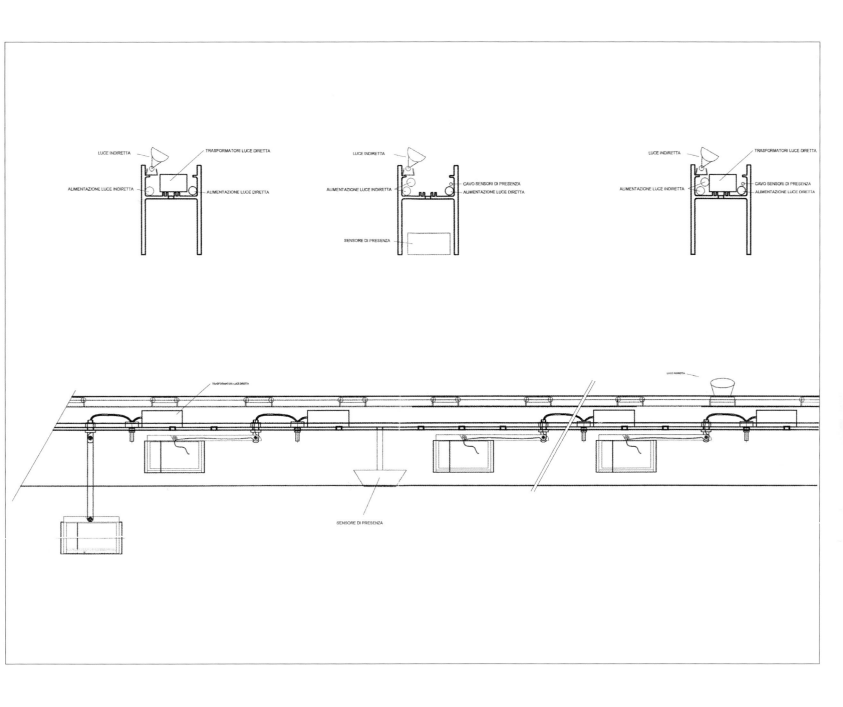

Sezioni di dettaglio degli elementi dell'impianto
di illuminazione.

Detailed sections of the lighting elements.

Coupes détaillées des éléments constituant l'équipement
d'éclairage.

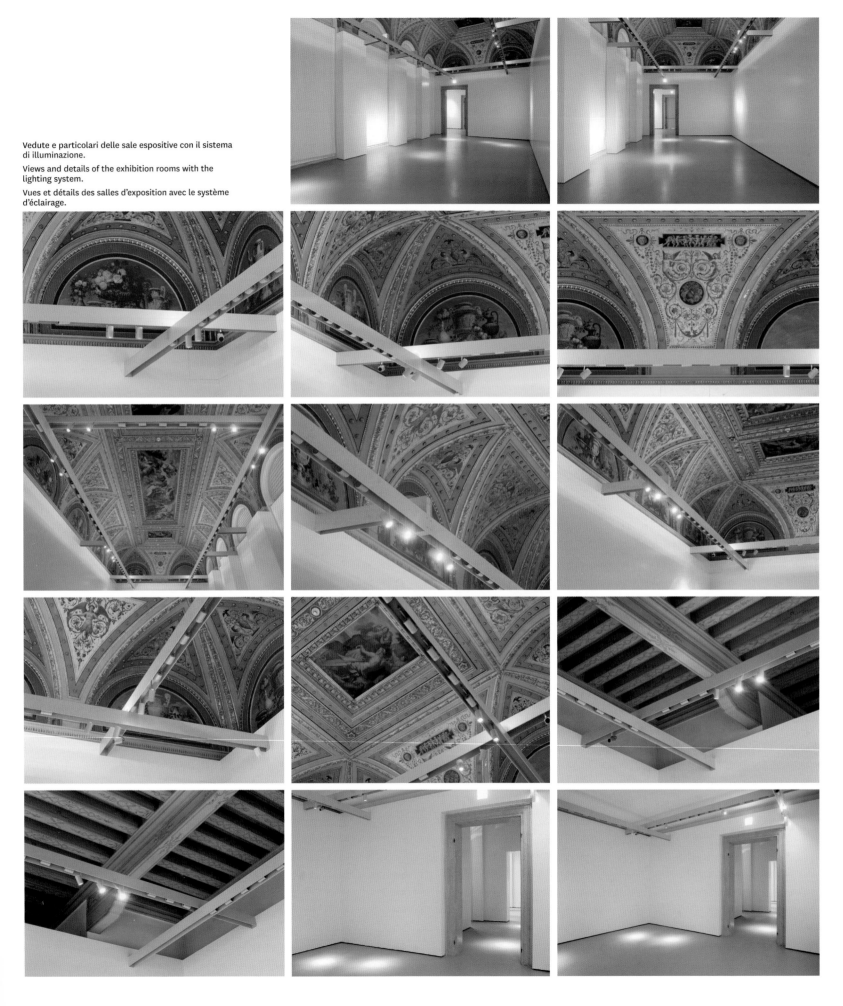

Vedute e particolari delle sale espositive con il sistema di illuminazione.

Views and details of the exhibition rooms with the lighting system.

Vues et détails des salles d'exposition avec le système d'éclairage.

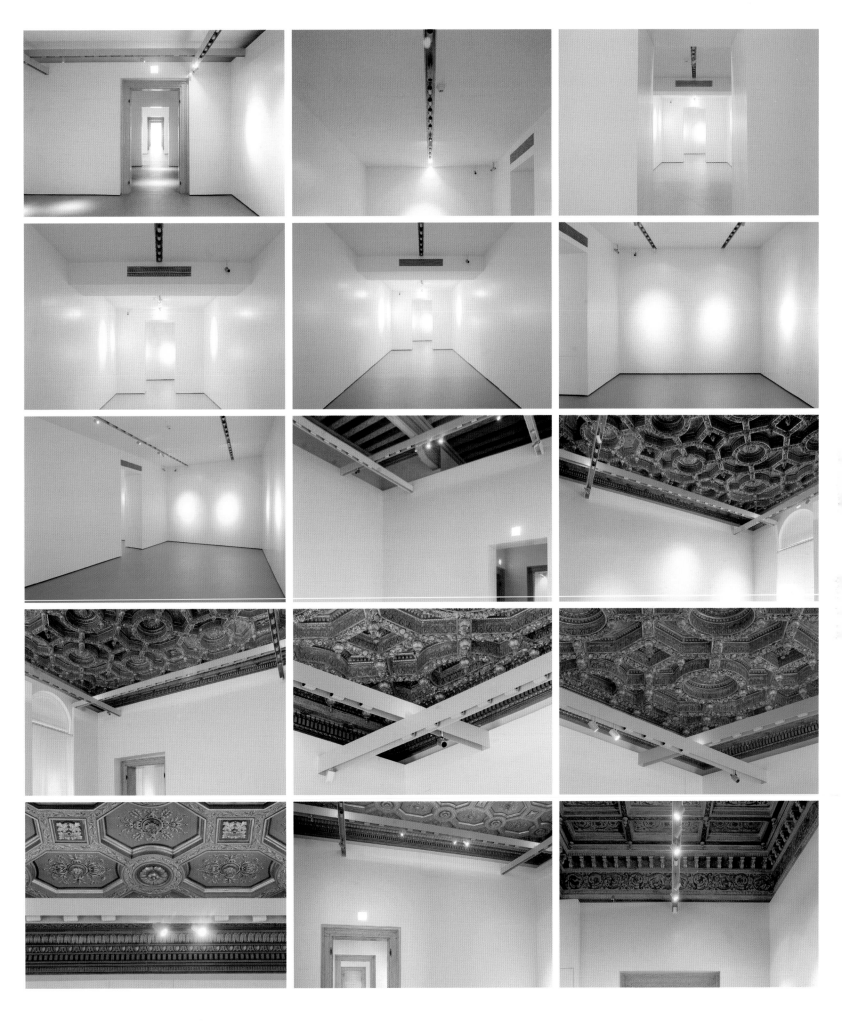

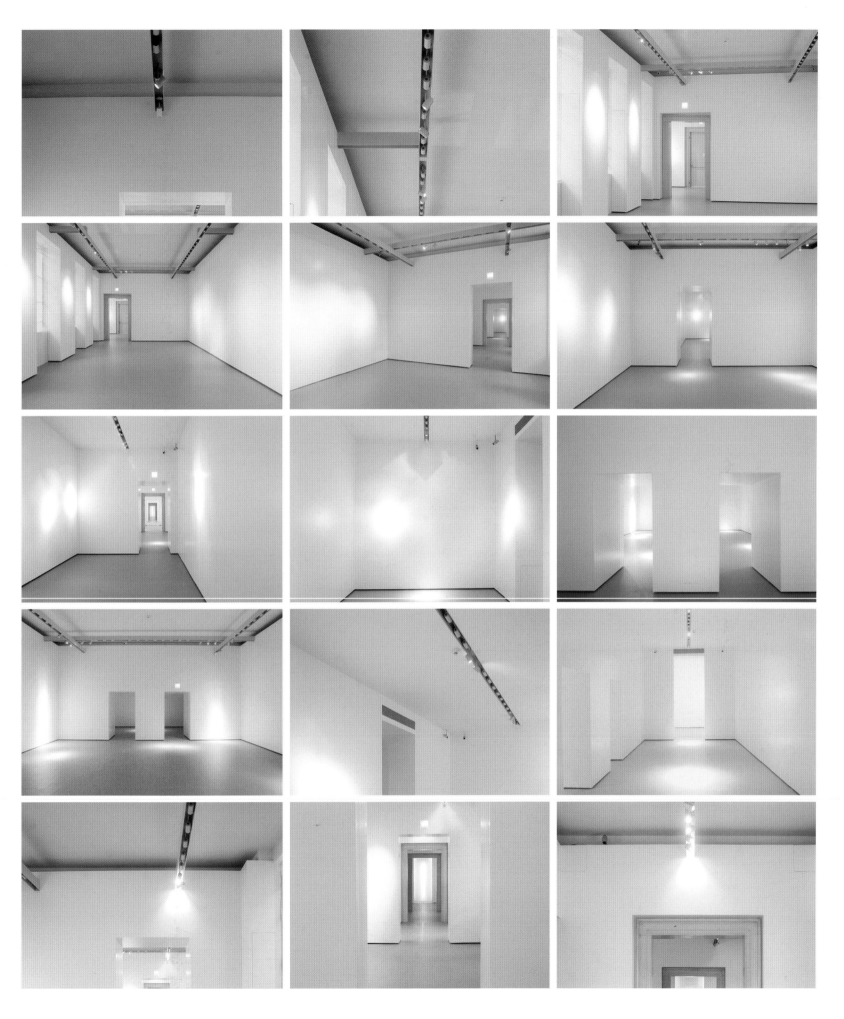

Esposizione *Where Are We Going?*, 2006: facciata
sul Canal Grande con l'opera di Jeff Koons, *Balloon Dog
(Magenta)*, 1994-2000, sulla piattaforma esterna.

Exhibition *Where Are We Going?*, 2006: Grand Canal
façade with work by Jeff Koons, *Balloon Dog (Magenta)*,
1994-2000, on the outside platform.

Exposition *Where Are We Going?*, 2006: façade sur
le Grand Canal avec l'œuvre de Jeff Koons, *Balloon Dog
(Magenta)*, 1994-2000, sur la plateforme extérieure.

Veduta d'insieme e di dettaglio dell'installazione luminosa
sulla facciata di Olafur Eliasson, 2006.

View of the whole and detail of the light installation
on the façade by Olafur Eliasson, 2006.

Vue d'ensemble et de détail de l'équipement lumineux sur
la façade d'Olafur Eliasson, 2006.

Veduta del piano terra della corte centrale durante
l'esposizione *Where Are We Going?*, 2006.

Ground floor view of the central courtyard during
the *Where Are We Going?* exhibition, 2006.

Vue du rez-de-chaussée de la cour centrale pendant
l'exposition *Where Are We Going?*, 2006.

La corte centrale dall'alto durante l'esposizione *Where
Are We Going?*, 2006.

The central courtyard from above during the *Where
Are We Going?* exhibition, 2006.

La cour centrale vue d'en haut pendant l'exposition
Where Are We Going?, 2006.

Esposizione *Where Are We Going?*, 2006: Urs Fischer,
Vintage Violence, 2004-2005, e Piotr Uklanski, *Untitled
(Monsieur François Pinault)*, 2003, installazione sullo
scalone.

Where Are We Going? exhibition, 2006: Urs Fischer,
Vintage Violence, 2004-2005, and Piotr Uklanski,
Untitled (Monsieur François Pinault), 2003, installation
on the main staircase.

Exposition *Where Are We Going?*, 2006: Urs Fischer,
Vintage Violence, 2004-2005, et Piotr Uklanski, *Untitled
(Monsieur François Pinault)*, 2003, installation sur
l'escalier.

Restauro di Tadao Ando, 2006, secondo piano, lato San
Samuele.

Tadao Ando restoration, 2006, second floor, San Samuele
side.

Restauration de Tadao Ando, 2006, deuxième étage, coté
San Samuele.

Esposizione *Where Are We Going?*, 2006: Michelangelo
Pistoletto, *Tenda di fili elettrici*, 1967.

Where Are We Going? exhibition, 2006: Michelangelo
Pistoletto, *Tenda di fili elettrici*, 1967.

Exposition *Where Are We Going?*, 2006: Michelangelo
Pistoletto, *Tenda di fili elettrici*, 1967.

Esposizione *Where Are We Going?*, 2006: opere
di Jeff Koons.

Where Are We Going? exhibition, 2006: works
by Jeff Koons.

Exposition *Where Are We Going?*, 2006: œuvre
de Jeff Koons.

Restauro di Tadao Ando, 2006, secondo piano, salone
sul Canal Grande.

Tadao Ando restoration, 2006, second floor, hall
overlooking the Grand Canal.

Restauration de Tadao Ando, 2006, deuxième étage,
salle sur le Grand Canal.

Esposizione *Where Are We Going?*, 2006: Dan Flavin,
Alternate Diagonals of March 2, 1964 (a Don Judd),
1964.

Where Are We Going? exhibition, 2006: Dan Flavin,
Alternate Diagonals of March 2, 1964 (to Don Judd),
1964.

Exposition *Where Are We Going?*, 2006: Dan Flavin,
Alternate Diagonals of March 2, 1964 (a Don Judd),
1964.

Esposizione *Where Are We Going?*, 2006: Jeff Koons,
Balloon Dog (Magenta), 1994-2000, sulla piattaforma
esterna sul Canal Grande.

Exhibition *Where Are We Going?*, 2006: Jeff Koons,
Balloon Dog (Magenta), 1994-2000, on the outside
platfrom on the Grand Canal.

Exposition *Where Are We Going?*, 2006: Jeff Koons,
Balloon Dog (Magenta), 1994-2000, sur la plateforme
extérieure donnant vers le Grand Canal.

Esposizione *Sequence 1*, 2007: Subodh Gupta, *Very
Hungry God*, 2006, struttura in acciaio inossidabile
coperta con utensili da cucina Artis, Parigi.

Exhibition *Sequence 1*, 2007: Subodh Gupta, *Very Hungry
God*, 2006, structure in stainless steel covered with
kitchen utensils Artis, Paris.

Exposition *Sequence 1*, 2007: Subodh Gupta, *Very Hungry
God*, 2006, structure en acier inoxydable couverte
d'ustensiles de cuisine Artis, Paris.

Esposizione *Italics. Arte italiana fra tradizione
e rivoluzione 1968-2008*, 2008-2009: Alighiero Boetti,
Autoritratto, 1993.

Exhibition *Italics. Arte italiana fra tradizione
e rivoluzione 1968-2008*, 2008-2009: Alighiero Boetti,
Autoritratto, 1993.

Exposition *Italics. Arte italiana fra tradizione
e rivoluzione 1968-2008*, 2008-2009: Alighiero Boetti,
Autoritratto, 1993.

PROGETTO PER IL «TEATRINO»

DESIGN FOR THE «TEATRINO»

PROJET POUR LE «TEATRINO»

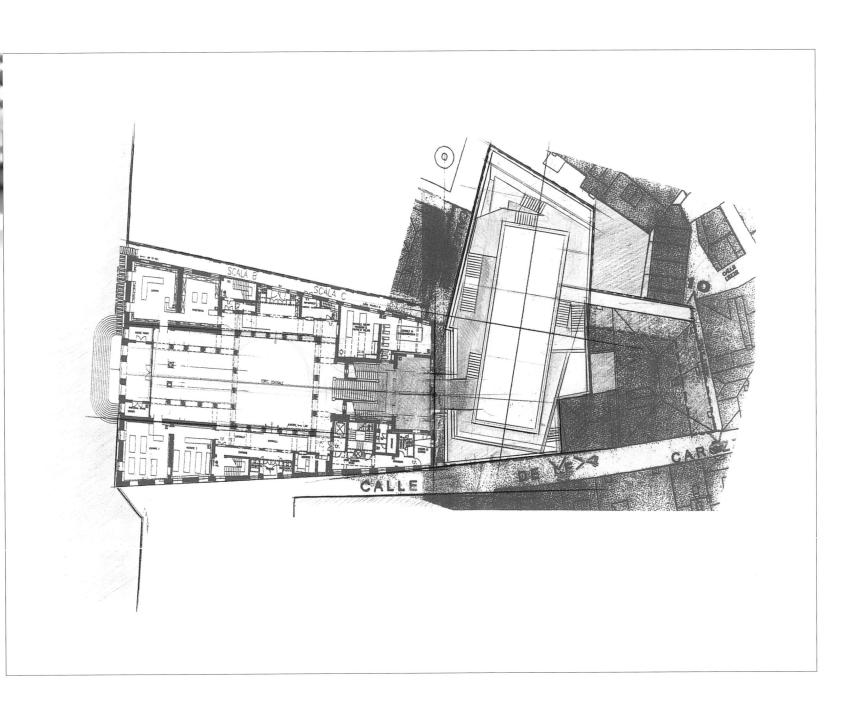

Pianta del piano terra del «teatrino» adiacente Palazzo
Grassi.

Plan of the ground floor of the «teatrino» next to Palazzo
Grassi.

Plan du rez-de-chaussée du «teatrino» adjacent
au Palazzo Grassi.

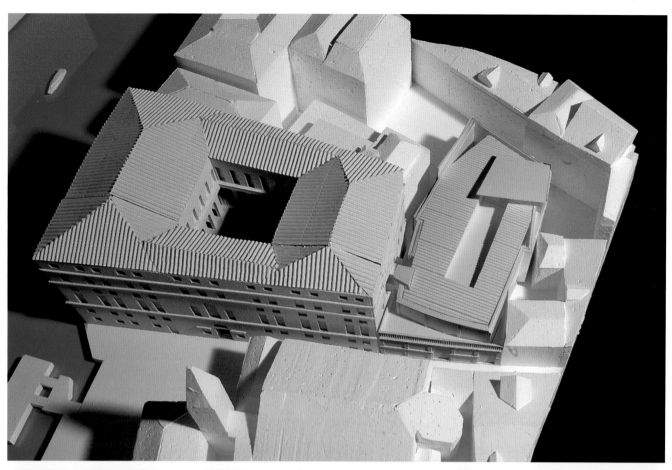

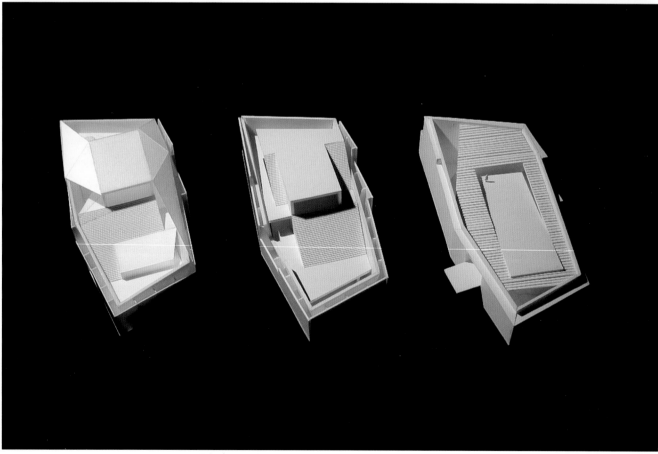

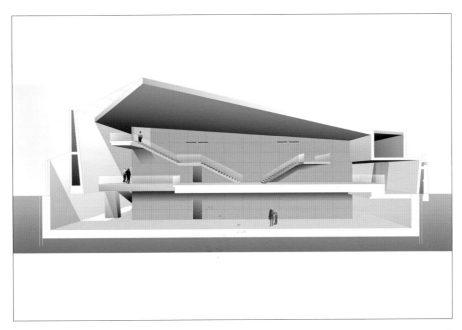

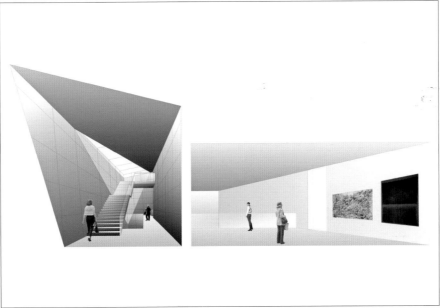

Modello d'insieme e studi volumetrici del «teatrino».

Model of the whole complex and volumetric studies of the «teatrino».

Modèle de l'ensemble et études volumétriques du «teatrino».

Modelli digitali delle sezioni longitudinale e trasversale con i percorsi di accesso.

Digital models of the longitudinal and transverse sections with the access ways.

Modèles numériques des coupes longitudinales et transversales avec les parcours d'accès.

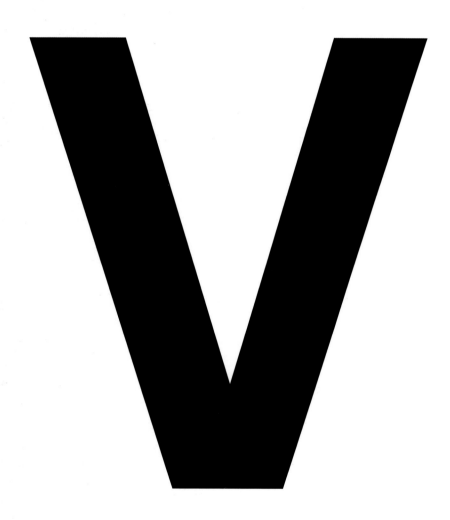

TADAO ANDO
PUNTA DELLA DOGANA
2007–2009

Veduta del bacino marciano.
View of St. Mark's Basin.
Vue du bassin de Saint Marc.

Veduta da San Marco verso l'isola di San Giorgio
e la Giudecca.

View from St. Mark's toward the island of San Giorgio
and the Giudecca.

Vue de la place Saint Marc vers l'île de San Giorgio
et la Giudecca.

I magazzini di Punta della Dogana tra il Canal Grande
e il canale della Giudecca, alle spalle la chiesa di Santa
Maria della Salute.

The Punta della Dogana warehouses between the Grand
Canal and the Giudecca Canal, with the church of Santa
Maria della Salute behind.

Les dépôts de la Punta della Dogana entre le Grand Canal
et le canal de la Giudecca, derrière l'église de Santa
Maria della Salute.

ARCHITECTURAL CONCEPT
FOR THE RESTORATION OF THE PUNTA DELLA DOGANA IN VENICE

THE PLANNING basically shall respect the original structure of the *Dogana del Mar* building, a historical warehouse with a very functional layout built in a simple architectural style. The restoration project and conversion of this emblematic building into a centre of contemporary art shall respect and emphasize its triangular shape as well as the characteristic structure of its plan, defined by a series of long brick walls, erected in a north-south orientation transversally between the Giudecca Canal and the Grand Canal. Furthermore, the architectural design concept foresees to conserving and underlining the existing large square space located at the centre of the building, even though this space has been created in the past by removing the central part of a structural wall and by installing two brick columns in place. In fact, it has become a very significant space of the actual building and has a great potential for its restoration, both functionally and symbolically. Tadao Ando's concept consists in fact to redefine this central space by inserting a new wall of exposed concrete, therewith inserting a contemporary accent at the core of the building and thus revealing the harmony between old and new in a stimulating dialogue. This new architectural element will thus become a symbol for the regeneration of the building. All original structural elements, i.e. the long brick walls and the wooden truss beams of the roof, shall be restored in keeping the repairs and surface treatments minimal; they shall remain exposed to the largest possible extent, in removing the architectural finishes which actually recover them in many areas. The original character of the building will thus be accentuated, therewith giving the visitors a better understanding of its history. Other original materials such as the *masegni* stone pavement at the ground floor should be kept and reinstalled, as far as their restoration can match the functional criteria required for the new art exhibition spaces. The planning and installation of mechanical systems, requested for the new functional program, should yet respect the character and state of the old building. The proposed architectural concept therefore favours a technical installation concept able to grant the basic climatic requirements, but without aiming to perfect conditions. As the insertion of mechanical installations in this historical Venetian building is very delicate and shall be minimized, we are hence striving to combine them to passive solutions such as natural ventilation.

Tadao Ando Architect & Associates
25 July 2007

PUNTA DELLA DOGANA
IL PROGETTO

ALBERTO
ANSELMI

INCUNEATA alla confluenza del Canal Grande e del canale della Giudecca, e affacciata sul bacino di San Marco, la serie di costruzioni che costituisce l'organismo della Dogana da Mar si pone come il punto di riferimento cardine per chi giunga via mare al bacino marciano. Il complesso, allineato lungo l'asse est-ovest, è costituito dal torrino che conclude verso est un lotto triangolare occupato da una teoria di magazzini composti da una somma di campate, di luce variabile e profondità decrescente, rese omogenee da due ininterrotte facciate gemelle poste a chiusura delle costruzioni lungo i lati prospicienti i canali. Una successione regolare di fornici a tutto sesto marca la scansione ritmica delle campate; ciascuno degli alti portali in pietra d'Istria consentiva l'accesso ai vani a tutta altezza dei magazzini coperti con un sistema di tetti a capanna contigui, originariamente impostati su una sequenza di spessi setti murari paralleli costruiti perpendicolarmente ai due canali.

Nel 2007, quando Tadao Ando intraprende il progetto per la riorganizzazione del complesso, le campate sono per la maggior parte tagliate orizzontalmente da solai realizzati, in epoche differenti, allo scopo di moltiplicare le superfici utili; l'originario sistema di distribuzione a pettine lungo entrambe le fondamenta, che prevedeva per ogni magazzino un accesso da ciascuna delle testate, risulta quindi largamente modificato da interventi per la riduzione degli ambienti a un uso diverso dal primitivo. I fornici di accesso verso i canali, intersecati dai solai via via aggiunti, appaiono quasi tutti parzialmente tamponati. Il gruppo delle tre campate più prossime al torrino fronteggiante il bacino è la porzione del complesso che ha subìto le trasformazioni maggiormente invasive. Le planimetrie dello stato di fatto mostrano come, tanto al piano terra che al primo, i diversi ambienti si distribuiscano lungo un corridoio centrale di spina che si conclude su una vasta aula a tutta altezza, ricavata dalla sostituzione di uno dei setti portanti tra le campate con una coppia di pilastri in muratura. Le restanti campate che compongono il complesso sono frammentate in numerosi ambienti più piccoli messi in comunicazione fra loro da varchi aperti tra i setti.

Per la stesura e la successiva realizzazione del progetto, lo studio Ando si appoggia a un gruppo italiano di professionisti, specializzati ciascuno in un ben determinato ambito di interventi: l'architetto Adriano Lagrecacolonna, oltre ad assumere formalmente la direzione dei lavori che, nei fatti, verrà condotta in modo corale da tutto il gruppo, è il referente per la progettazione degli impianti; gli ingegneri Giandomenico e Luigi Cocco hanno la responsabilità del delicato intervento di risanamento strutturale degli antichi magazzini e della progettazione esecutiva delle opere edili, è quindi nel loro studio che viene redatta la maggior parte delle traduzioni grafiche degli elaborati inviati in Italia dall'architetto giapponese; lo studio Ferrara-Palladino ha invece l'incarico di curare la progettazione illuminotecnica. Interventi più circoscritti, come il rilievo dello stato di fatto, eseguito dallo studio dell'architetto Alberto Torsello, sono di volta in volta affidati a specialisti chiamati ad appoggiare il gruppo italiano di riferimento.

Nella stesura della prima bozza di progetto, datata 12 luglio 2007 e pervenuta al gruppo italiano di lavoro il 16 dello stesso mese, Tadao Ando si dedica innanzitutto allo schema della circolazione dei flussi di visitatori all'interno delle aree espositive prevedendo il ripristino, almeno parziale, della primitiva distribuzione periferica a pettine ricalcando, lungo il margine nord delle campate, pur se all'interno della facciata, il percorso della fondamenta lungo il Canal Grande. L'accessibilità al complesso è prevista soltanto dal lato ovest, attraverso uno dei fornici affacciati sul campo della Salute: oltrepassata la biglietteria e il guardaroba, il visitatore prosegue verso il torrino costeggiando la parete prospiciente il Canal Grande, in tal modo alla sua destra si succedono i vani degli antichi magazzini che, parzialmente liberati dalle partizioni innalzate per scompartire le campate, si possono intravedere, anche se filtrati da grate, in tutta la loro ampiezza. La percezione delle volumetrie originarie, quasi completamente perduta, viene quindi nuovamente suggerita sia per lo smantellamento delle pareti di tamponamento, sia grazie alla demolizione di alcune porzioni di solaio. Sfruttando l'eccezione nel sistema di setti portanti paralleli, introdotta nel corso del XIX secolo grazie alla sostituzione della parete continua tra due campate con una coppia di pilastri, Ando prevede la costruzione, attorno ai pilastri al centro dell'aula, di un recinto in cemento armato che distribuisce, in questa prima versione del progetto, sia i percorsi orizzontali che quelli verticali. Il nuovo muro, su cui poggia una scala per l'acceso al livello superiore, è discosto dalle murature preesistenti come dalle strutture della copertura in modo da distinguersi nettamente dall'edificio in cui è contenuto.

L'apparente cautela dell'architetto nei confronti delle preesistenze, che si spinge fino all'esibito rifiuto a interagire con il manufatto antico, è favorita da una situazione contingente: alla data del 12 luglio 2007 non sono ancora disponibili rilievi attendibili del complesso. L'unico rilievo utilizzabile, oltre alle imprecise mappe catastali, è infatti datato, e non può comunque tenere conto dell'esatta morfologia del manufatto che verrà di lì a breve messa in luce grazie alle demolizioni di contropareti, controsoffitti, arredi fissi, scorzoni e setti non strutturali, accumulatisi prevalentemente nel corso degli ultimi due secoli. L'intervento di Ando sembra quindi mirato non tanto al rispetto del manufatto antico, di cui chiede una parziale demolizione, pur se rivolta esclusivamente ad aggiunte ottocentesche, quanto piuttosto a una più generale economia del progetto. L'ubicazione del recinto, discosto dalle pareti perimetrali, e la scelta della finitura per i nuovi pavimenti sono cioè scelte svincolate da eventuali precisazioni dimensionali che potranno derivare dalle successive verifiche del rilievo dello stato di fatto.

Pragmaticamente, Ando prende atto di un'anomalia nel consueto iter preliminare a un intervento su un manufatto preesistente, e utilizza la mancanza del rilievo come un semplice dato da cui muovere.

A partire dalla bozza inviata a metà luglio, Ando intraprende un lavoro di lima che, lasciando immutata la concezione generale del progetto, si concentrerà su pochi specifici elementi. Nelle successive tavole dell'architetto, datate 25 luglio 2007, lo schema dei percorsi subisce una prima complicazione, venendo articolato con l'apertura di nuovi varchi tra le campate più lunghe. Anche il percorso di avvicinamento al recinto è accorciato. Dapprima concepito secondo modalità elaborate per suggerire, più che per mostrare, al visitatore la presenza delle aule vuote degli antichi magazzini e – ma soltanto da ultima – quella del muro in cemento armato, l'accesso ai quali è sempre filtrato da un diaframma, il tragitto di avvicinamento al cuore del progetto è ora ridotto di una campata.

La moltiplicazione dei varchi segue una logica mirata a scongiurare la possibilità, per il visitatore, di intravedere il contenuto della sala successiva: nel recinto, ora, ci si imbatte senza preavviso e poi si è obbligati a girarvi intorno per scoprirne l'acceso.

In questo secondo nucleo di disegni, il recinto e il nuovo pavimento, entrambi «levigati e ragionevoli», intessuti come sono di modulazioni esatte, come la modernità secondo Marcuse, esibiscono, rispetto all'edificio preesistente, un'estraneità ancor più drasticamente radicalizzata: come spiega Ando, nella lettera di accompa-

gnamento a questa versione del progetto, le murature rimaste nell'area circostante il recinto, come anche quelle delle campate adiacenti, devono infatti venire ripulite per lasciare esposti i mattoni, nudi, vecchi, con tutti gli eventuali rattoppi riconoscibili e in vista.

La rimozione di ogni stratificazione riconoscibile, con l'obiettivo ovvio, pur se non dichiarato, di conferire all'edificio l'aspetto di un rudere, mira a costituire un fondale omogeneo atto a mettere in risalto il nuovo manufatto in cemento armato e il nuovo pavimento. Dove tali espedienti sembrano inefficaci, e perciò inutili, come nella biglietteria e nella caffetteria, Ando non esita a reintonacare tutto, a ricoprire le pareti con scaffali e a nascondere le orditure dei soffitti con controsoffitti nuovi.

In pianta, la collocazione e la dimensione finali del recinto appaiono già definite nella tavola di progetto del 12 luglio 2007, con la sola eccezione dello spessore del muro che Ando ipotizza di 25 centimetri, mentre nelle tavole del progetto definitivo, presentate al Comune dal gruppo italiano di lavoro il 10 marzo 2008, risulta di 35 centimetri. Lo spessore del muro realizzato è di 30 centimetri e corrisponde a quello proposto nei disegni esecutivi consegnati alla Soprintendenza di Venezia, in data 8 aprile 2008. L'elaborazione della posizione e della forma delle aperture richiede tempi più lunghi: in un primo momento l'architetto prevede la possibilità, per il visitatore, di attraversare il recinto; successivamente, già con i disegni del 25 luglio, contestualmente con la riduzione del diaframma frapposto tra il percorso di avvicinamento e il muro in calcestruzzo, sposta definitivamente ambedue i varchi sul lato rivolto verso il canale della Giudecca. Nello schizzo dell'8 settembre 2007, Ando propone quindi di incrementare l'altezza del recinto così da trasformare il parapetto, che nelle prime ipotesi cingeva il livello superiore del vano a doppia altezza, in un muro alto, interrotto soltanto da quattro aperture simmetricamente accoppiate lungo i lati verso i canali. In seguito, in una serie di disegni del 29 ottobre 2007, l'architetto considera anche l'ipotesi, poi abbandonata, di ridurre le aperture del recinto sul lato del Canal Grande a una sola fessura continua di 11,4 x 0,3 metri.

Portando l'altezza delle pareti in calcestruzzo fino al limite dell'intradosso delle capriate del tetto, Ando esclude quasi completamente la vista delle murature in mattoni dei magazzini dall'interno del recinto, cosicché chi vi entra si trova in un ambiente invertito rispetto a quello da cui proviene, una sorta di passaggio dal positivo al negativo: dove prima c'era un pavimento nuovo in cemento levigato ora ci sono i vecchi *masegni* del pavimento preesistente; dove prima c'erano murature antiche in mattoni ora c'è un muro nuovo in cemento; mentre prima la luce riflessa dall'acqua entrava obliqua dalle aperture laterali affacciate sui canali, ora piove dai grandi lucernari aperti nel tetto.

All'esterno, il recinto progettato da Ando misura 16,2 metri per lato, per un'altezza di 6,3 metri. La larghezza complessiva, inizialmente prevista pari a 9 moduli da 1,8 metri, è stata in seguito limata, accorciando di 10 centimetri il primo e l'ultimo modulo, su istanza del gruppo italiano di lavoro, per garantire tutt'intorno al vano un passaggio largo in media 2 metri che nemmeno nei punti più stretti scendesse sotto l'1,8 metri.

Il modulo di 0,9 x 1,8 metri, su cui Ando abitualmente dimensiona i propri progetti, corrisponde alla dimensione dei pannelli assemblati per formare i casseri per il getto del calcestruzzo. Le sagome dei pannelli una volta ritagliate, vengono giustapposte in modo che i bordi combacino perfettamente tra di loro, così da formare un'unica lastra liscia e piana e in modo che le commessure tra i singoli elementi risultino impermeabili poiché qualunque colatura segnerebbe indelebilmente la parete del setto. Sul muro finito, a misurarne la superficie, compaiono invece soltanto le sottili e regolari tracce impresse dai bordi dei pannelli e le impronte lasciate dagli ancoraggi tesi tra di essi durante le operazioni di montaggio prima del getto del calcestruzzo. Inoltre, per ottenere la massima omogeneità d'aspetto delle superfici, ciascun getto è stato eseguito senza interruzioni; a tale scopo è stato necessario porre una notevole attenzione allo studio della quantità e dell'ubicazione dei giunti di ripresa che, ineliminabili in una costruzione in cemento armato, sono stati ridotti al minimo indispensabile. Nella costruzione del recinto sono stati quindi previsti due giunti verticali per lato e nemmeno un giunto orizzontale, e ciascun segmento è stato realizzato con un unico getto. Per rendere possibile tale operazione si è reso necessario disporre, per ogni getto, di tre betoniere, collocate su un'imbarcazione ancorata all'esterno del complesso lungo la fondamenta del canale della Giudecca, da cui convogliare, a ciclo continuo, attraverso una condotta, il calcestruzzo all'interno dei casseri. La necessità di maneggiare con sufficiente libertà la condotta, già in balìa degli irregolari spostamenti causati dalla corrente del canale e dall'alleggerimento progressivo delle betoniere, e quella di garantire l'omogenea distribuzione e compattazione del conglomerato all'interno delle casserature, condizioni inderogabili per assicurare omogeneità alla superficie del manufatto, hanno richiesto più spazio di manovra di quanto non fosse stato previsto. Per tale ragione, in sede di cantiere, anche l'altezza del muro è stata ridotta, rispetto alla quota di progetto, di 0,225 metri, pari a un quarto di modulo.

Il peso, la forma e la dimensione del recinto in calcestruzzo hanno anche comportato un attento studio delle fondazioni, complicato dalla delicata condizione del sito su cui sorge l'intero complesso e dalla presenza della fondazione del muro tra le due campate che, nonostante le demolizioni ottocentesche, si trova ancora intatta al proprio posto. La malferma consistenza sabbiosa del sottosuolo, confermata da una serie di prospezioni geognostiche appositamente condotte, era già in parte nota poiché ha contribuito al grave dissesto in cui versava una porzione del muro esterno sul lato del Canal Grande prima dell'inizio dei lavori. Infatti, proprio i sommovimenti e il depauperamento di un fondale rivelatosi instabile, prodotti in anni recenti, durante lavori di manutenzione delle fondamenta, uniti a uno sconsiderato intervento di manomissione delle antiche catene lignee, condotto probabilmente nel secolo scorso, sono verosimilmente stati all'origine di un vistoso spanciamento della facciata che si è quindi potuta recuperare proprio grazie al ripristino dello schema strutturale antico. Per scongiurare l'eventualità che, date le caratteristiche del sottosuolo, si ripresenti per il recinto una situazione analoga a quella della facciata, con i cedimenti conseguenti, è stata realizzata una doppia corona di pali a sostegno della fondazione del nuovo manufatto. L'adozione di tale scelta mette al riparo l'intero edificio anche da un secondo rischio: nell'eventualità di un cedimento delle nuove fondazioni del recinto, la presenza della fondazione antica si potrebbe infatti rivelare un ulteriore serio impedimento al movimento della nuova scatola in calcestruzzo che così, non soltanto rischierebbe di lesionarsi o spaccarsi, ma finirebbe per gravare sulla struttura preesistente con il pericolo di comprometterne la statica.

Ancora nelle tavole di Ando del 25 luglio 2007 si comincia a osservare che, come per il recinto, anche per i pavimenti Ando avvia un processo di distillazione che lo porterà a cambiare più volte il tipo di finitura e la disposizione dei giunti. Nei primi disegni inviati, a ogni ambito funzionale corrispondeva un pavimento differente, anche se il confine tra il percorso che dalla biglietteria portava al cuore del complesso e il resto dell'area espositiva rimaneva sfumato e indefinito. In seguito, a tutta l'area espositiva al piano terra, e analogamente al piano primo, viene assegnato un unico tipo di pavimento con la sola eccezione, come già detto, dell'interno del recinto. Finiture differenti vengono invece scelte per il torrino e gli spazi a esso adiacenti e, successivamente, anche per l'area della biglietteria, ovvero per tutti gli spazi destinati a funzioni diverse da quelle espositive. Tra le diverse finiture prese in considerazione, Ando chiede di valutare la possibilità, poi scartata, di replicare, al piano terreno, il medesimo pavimento utilizzato da Carlo Scarpa nel complesso monumentale della tomba Brion: un «mosaico» di sampietrini di 3 x 3 centimetri di lato annegati nel calcestruzzo, levigati, tuttavia, come un terrazzo alla veneziana. Una volta stabiliti i materiali da utilizzare in ciascun ambito, Ando elabora ancora numerose varianti sia per la disposizione dei necessari giunti di dilatazione e tagli di frazionamento, che per la tessitura del pavimento in *masegni* del recinto, fino alla posizione di ciascuna singola cassetta a pavimento.

Per la collocazione degli impianti elettrici e meccanici, Ando, in prima istanza, prevede di disporre, discosti dalle pareti dei magazzini e schermati da grate analoghe a quelle disegnate per i serramenti esterni, dei contenitori ben distinguibili, ricavati principalmente dall'ispessimento dei diaframmi che nel progetto del 12 luglio 2007 aveva posti lungo il percorso di avvicinamento al recinto. L'esigenza, espressa dalla committenza, di mantenere il più possibile sgombre le campate per ragioni espositive, si traduce in una progressiva diminuzione del numero dei contenitori che vengono, infine, ridotti a un totale di cinque, tre al piano terra e due al primo, mentre un più ampio vano tecnico parzialmente interrato viene posto al livello inferiore della campata più lunga, di cui occupa circa un terzo.

Con il gruppo italiano di lavoro viene quindi studiata la possibilità di collocare parte delle condutture in apposite rifodere poste a ridosso dei muri dei magazzini e realizzate con mattoni vecchi così da mimetizzarle con la costruzione preesistente; impianti di dimensioni più contenute trovano invece posto nelle antiche nicchie dei pluviali addossate ai setti portanti e riemerse durante i lavori di demolizione delle contropareti. Una complessa rete di condutture percorre anche il sottosuolo fino a una quota di fondazione, nei punti di maggior profondità, di -2,2 metri rispetto al piano di calpestio. Poiché gli impianti posti sotto il pavimento si trovano, nei punti più profondi, a una quota talvolta inferiore al livello dello zero mareografico rilevato in Punta della Salute (l.z.m.p.s.), è stato necessario prevedere un'adeguata impermeabilizzazione e un sufficiente zavorramento delle strutture per evitare infiltrazioni e sottospinte dal basso in caso di alta marea. Le pareti esterne delle vasche in cemento armato, che occupano l'intera superficie delle campate e che contengono gli impianti, sono perciò interamente rivestite con guaine impermeabilizzanti e il dimensionamento dei pacchetti dei pavimenti, contenenti il sistema di riscaldamento, ha dovuto tener conto del peso necessario a contrastare la spinta dell'acqua anche in caso di alta marea eccezionale. A lasciare quantomeno perplessi è, invece, la decisione presa dal gruppo italiano di lavoro di estendere anche ai setti interni, e fino alla quota di +2 metri l.z.m.p.s., un invasivo intervento di tutela contro il rischio delle acque alte che ha comportato la scarifica delle murature esistenti per uno spessore di 12 centimetri, l'applicazione di una guaina in pvc e la successiva rifodera, a filo del muro, con mattoni vecchi.

PUNTA DELLA DOGANA
THE PROJECT DESIGNS

ALBERTO ANSELMI

WEDGED between the Grand Canal and the Giudecca Canal where these two flow into St. Mark's Basin, the series of spaces that form the *Dogana da Mar* (Maritime Customs House) has long stood as a key visual marker for those approaching Venice from the sea. Laid out on a east-west axis, the triangular site begins with a small tower at its eastern apex. From this point, the building expands in a series of warehouses of varying span that run parallel to each other behind the unbroken façades which mark the sides of the triangle as bound by the two canals. On these façades, a regular succession of high, round-arched portals in Istrian stone give access to an open-space warehouse under one of a series of contiguous saddleback roofs (each originally resting on walls that run parallel to each other and perpendicular to the central axis of the building).

When Tadao Ando undertook the project in 2007, most of these warehouse bays had been divided horizontally by floors which, at different periods in the building's history, had been added to increase the available storage space. Thus the original layout, with the long warehouses forming a comb pattern and opening onto either of the canal waterfronts, had been substantially changed as the interior was modified for purposes other than its original use. For example, already cut across at some height by the added floors, the entrance archways facing onto the canals had been in part bricked up. The most substantial changes, however, had been made in the three shortest bays, near the tower overlooking St. Mark's Basin. Here, ground plans show that, at both ground and first-floor level, the spaces are distributed along a central corridor that runs like a sort of spine into a vast space that extends the whole height of the building; this latter was created by the replacement of one part of the weight-bearing wall dividing two bays by a pair of brick-built pillars. Elsewhere, the other bays that make up the complex had been broken up into numerous smaller spaces, interconnected by openings within the weight-bearing walls.

In the completion and implementation of the project, Ando's studio drew upon the services of a group of Italian professionals, each specializing in one specific area of work. The architect Adriano Lagrecacolonna not only occupied the formal position of Head of Works – a task actually undertaken by the group as a whole – but was also the chief figure in the designing and planning of plant and facilities within the complex. The engineers Giandomenico and Luigi Cocco were responsible for the delicate work of structural restoration of the old warehouses and for the executive planning of actual building work, thus it was their studio which drew up most of the working drawings based upon the drafts which the Japanese architect sent to Italy. For its part, the Ferrara-Palladino Studio was responsible for the design of technical and lighting facilities. More circumscribed tasks were undertaken by specialists called in to work with the Italian group on specific tasks: for example, the evaluation of the current state of the building was undertaken by the studio of the architect Alberto Torsello.

The first draft of the project, dated 12 July 2007, reached the Italian work group on the 16th of that month. It shows that initially Tadao Ando focussed primarily upon the flow of visitors within the exhibition areas: his design envisaged the, at least partial, restoration of the original distribution channel at the edge of the «comb» of warehouses, with access flowing along the northern end of the bays, following the line of the Grand Canal waterfront on the other side of that façade wall. Entrance to the complex as a whole was to be solely at the western end of the building, via one of the archways that overlook Campo della Salute itself. Having passed beyond the ticket office and the cloakroom, visitors would proceed towards the tower at the eastern apex, along a route that ran on the inside of the wall overlooking the Grand Canal. To their right would be the series of rooms formed by the old warehouses; partially stripped of the partitions which over the years had divided up these bays, the full width of these spaces would be visible through metal gratings. Thus a perception of the original layout of the original space, which had been almost entirely obscured by accretions, was once again made possible – in part by the dismantling of partition walls, in part by the demolition of some portions of the flooring installed at the upper level. Ando also intended to take full advantage of the exceptional «break» in the weight-bearing walls which had been created in the nineteenth century, when – as already mentioned – part of the wall between two of the warehouse bays had been replaced by a pair of pillars. Around the pillars at the centre of the space thus created, Ando envisaged the building of an enclosure in reinforced concrete. In this first version of the project, this was intended to play a role in both horizontal and vertical movement within the complex, its walls bearing a staircase to the upper level. However, the enclosure would stand independently of both the existing walls and the roofing structure – in order to mark its clear distinction from the building within which it is contained.

Tantamount to a clear and forthright refusal to «interact» with the old building, such caution with regard to the existing structure was, in part, due to one simple fact: on 12 July 2007 there were still no reliable surveys of the complex as a whole. Apart from imprecise cadastral plans of the building, the only available survey was a rather dated one which failed to take account of the exact morphology of the building as it then stood – a morphology that would soon become clear thanks to the demolition of partition walls, ceiling panels, fixtures and facings that had been added over the course of time (primarily during the last two centuries). Ando's project was not predicated upon a straightforward desire to respect the old structure as it stood; in fact, his plans required a partial demolition of some (nineteenth-century) parts of the building. Instead, it was inspired by an overall need for economy of intervention. For example, the placing of the enclosure entirely independent of the walls around it, and the choice of finishings for the new floors, were decisions that did not depend upon the more precise information regarding measurements and size that might emerge from subsequent surveys of the existing state of the building.

Adopting a very pragmatic approach, Ando took into account that the usual preliminaries in work upon an existing structure could not be followed here. The absence of a reliable survey of the structure thus became part of the data which he took as his starting-point.

In fine honing the draft project as sent in mid July, the architect would then focus on certain specific features, without however changing the overall concept. In the subsequent drawings – dated 25 July 2007 – there was a change to the route through the building, with the creation of new openings between the longer bays of the structure. Furthermore, the approach to the enclosure was shortened.

From the very beginning, the layout was intended to afford visitors glimpses – rather than full views – of, first, the empty spaces of the old warehouses, then (only at the very last moment) of the reinforced concrete enclosure; access to each space was filtered by the presence of gratings that functioned as a sort of diaphragm. Now, the approach to the very heart of the project was shortened by one bay. This logic of glimpses rather than immediate disclosure meant that the number of openings between spaces was increased, in order to deny visitors full sight what might be in the next room. And as for the enclosure, one now came upon it

more abruptly, and had to walk round it to find the point of access.

In this second body of drawings, the enclosure and the floor are both «polished and rational», being made up of a weave of exact modulations (to use Marcuse's definition of «modernity»). With respect to the existing building, they thus become even more drastically extraneous: as Ando explains in the letter that accompanies this version of the project, the remaining walls in the area around the enclosure – just like those in the adjacent bays – were to be cleaned and stripped down to the bare brick, with all the patchwork repairs made over the course of time left visible.

The removal of accretions and overlays here had the clear (but unstated) aim of making the building look like a sort of ruin, thus creating a homogenous setting that would throw into relief the «newness» of the flooring and the enclosure in reinforced concrete. Where such measures were likely to be ineffective (and therefore pointless) – for example, in the ticket office and the cafeteria – Ando did not hesitate to replaster walls, to add shelving and to cover the structure of the roofing with new ceiling panels.

The position and size of the enclosure were already defined in the project drawing of 12 July 2007. The sole exception is the thickness of the enclosure wall itself: Ando imagined it to be 25 centimetres, whilst in the drawings of the final project – which the Italian work group submitted to the Venice City Council on 10 March 2008 – it is 35 centimetres. The thickness of the wall as actually built would be 30 centimetres, which corresponds to that shown in the executive drawings submitted to the Venice *Soprintendenza* to historical buildings on 8 April 2008.

The planning of the position and form of the openings in this enclosure took more time. Initially, the architect envisaged that it would be possible for visitors to pass straight through the contained space. Subsequently, the drawings dated 25 July would not only involve a reduction of the diaphragm placed between the approach to the enclosure and the concrete wall, but also envisage shifting both of the openings onto the side of the enclosure facing towards the Guidecca Canal. In the sketch of 8 September 2007 Ando would then propose raising the height of the enclosure. What had been a parapet at the upper level in the double-height space would now become a high wall; this would be broken solely by four openings, placed in symmetrical pairs on the two sides facing towards the canals. Later, in a series of drawings dated 29 October 2007, the architect would then consider the possibility of replacing the two openings on the Grand Canal side with one long fissure measuring 11.40 by 0.30 metres; however, this idea was then abandoned.

Raising the concrete walls right up to the intrados of the roof trusses meant that those inside the enclosure were almost totally denied any sight of the old brick walls of the warehouses. Upon entering, one finds oneself in a space that is a sort of photographic negative of the space one has just left: where before there was a new floor in polished cement, now there are the old stone *masegni* on the existing floor; where before there were walls of old brick, now there is a new wall of cement; where before the light entered the space obliquely (reflected off the water and then passing through the side openings in the building), now it falls down directly from the large skylights in the roof.

The outside measurements of the enclosure as designed by Ando were 16.20 metres per side, to a height of 6.30 metres. However, the overall width – initially envisaged as equal to 9 modules measuring 1.80 metres each – had to be trimmed slightly, shortening the first and last module by 10 centimetres. This decision was taken upon the advice of the Italian work group in order to guarantee that the passage around the enclosure should, on average, measure 2 metres and, even at its narrowest points, never be less than 1.80 metres.

The modular form of 0.90 by 1.80 metres is one Ando uses regularly in his designs, and here it was also used for the panels that made up the shuttering for the concrete. Once cut and shaped, these panels were fitted into place so that they were perfectly flush with each other, forming a single smooth surface of water-tight junctions: any leakage would have left an indelible irregularity on the surface of the cast concrete wall. The finished surface is thus marked out by the regular pattern left by the edges of the panels and by the imprints of the anchor-ties used in assembling them before the casting of the cement. Furthermore, in order to achieve as even a surface as possible, each such casting was carried out without interruptions. This meant considerable care had to be taken in studying the number and positioning of the junctions revealing where casting had ended and been re-started; inevitable in reinforced concrete, these were reduced to the absolute, unavoidable, minimum. In the cast wall, therefore, there are just two vertical joints per side, with no horizontal junction marks at all; each of these vertical segments was cast in one operation. To make this possible, three cement mixers – located on a vessel anchored at the Giudecca waterfront outside the building – were used for each casting. Throughout the casting, the cement had to be delivered from these mixers to the shuttering at a constant rate, which posed certain problems with regard to the feed channel. This had to be sufficiently easy to manoeuvre, whilst account had to be taken of the movement of the floating vessel itself and the fact that this latter would sit higher in the water as the cement mixers became emptier. Given the need to guarantee even distribution of delivery and uniform compactness in the conglomerate within the shuttering – both essential conditions if the surface of the finished enclosure was to be homogeneous – the whole procedure required greater room for manoeuvre than had been envisaged. This is why, during work on site, the final height of the enclosure wall was reduced to some 0.225 metres (a quarter of a module) lower than that envisaged by the project.

The weight, form and size of the concrete enclosure also meant that there had to be careful study of the foundations. This was complicated by the very delicate conditions of the whole site and by the fact that, although one inter-bay wall had been demolished in the nineteenth century (to be replaced by two columns), its foundations were still in place. Geognostic surveys confirmed that the subsoil was sandy terrain of uncertain consistency; this was, in part, already known because of evidence of serious instability in part of the Grand Canal wall before work began. In fact, the shifting and depletion in the canalbed caused by recent maintenance work on the quayside – plus ill-considered intervention on the old wooden ties (probably in the last century) – had almost certainly been the cause of the noticeable bulging of the façade wall, which could now be made good by work upon the old structure. To avoid these characteristics of the subsoil causing similar subsidence in the enclosure wall, the new structure was raised on a foundation of a double ring of piles. This solution also protected the entire building against a second danger: that, in the event of some future subsidence in the foundations of the enclosure wall, the old foundations might restrict the movement of the new reinforced concrete structure, causing it not only to crack or rupture but also to seriously compromise the statics of the existing structure.

In the Ando drawings of 25 July 2007, one can see that – as with the enclosure – the architecture was moving through a process of «refinement», which would led to several changes in the way he envisaged the finishings and junctures within the interior. In the first drawings sent to Italy, there was a different floor type for each area of different function – even if the boundary between the route which leads from the ticket office to the heart of the complex and the exhibition area proper remained somewhat vague and undefined. Subsequently, the entire exhibition area on the ground and first floors would have a single type of flooring (the sole except being that already mentioned within the enclosure). However, different finishings were chosen for the tower area and the spaces around it, as well as for the ticket office area – in short, for all those zones which did not serve as exhibition spaces. One, subsequently abandoned, idea for the ground floor was to replicate the paving that Carlo Scarpa had used in his monumental Brion tomb: a «mosaic» of 3-centimetre square stones sunk in concrete and then polished up to give a finish similar to Venetian *terrazzo*.

Once having decided upon the material to be used, Ando then worked out a number of variations for the necessary expansion joints and fractional parts. He also worked upon the position of each individual *masegno* in the flooring within the enclosure.

As far as the electrical and mechanical facilities within the structure were concerned, Ando initially envisaged that these would be set apart from the walls of the warehouse and shielded behind grating similar to that used for the exterior window and door frames; the easily-identifiable containers within which they would run were to be formed largely from a simple «thickening» of the diaphragms which the project of 12 July 2007 had envisaged running along the approach to the enclosure. The client's request that the exhibition areas within the bays be kept as free as possible would lead to a gradual reduction in the number of such containers, until finally there were only five of them: three on the ground floor and two on the first floor. At the same time, a larger technical services area was placed, partially underground, within the longest bay (occupying about a third of it).

Together with the Italian work group, studies were then carried out to see if some of the ducts could be contained within special linings built flush against the walls of the warehouse using old bricks (that would thus blend in with the existing structure); smaller ducts and plant could be located in the niches for downpipes which had come to light when the old wall surfacing had been stripped away from the weight-bearing walls. There is also a complex network of ducts and channels placed underground at the level of the foundations – at a maximum depth of 2.20 metres below the ground floor. Given that these latter facilities are, where deepest, at a point lower than the zero sea level mark as measured at the Punta della Salute, measures had to be taken to guarantee that they were not only sufficiently waterproofed (against leakage) but also sufficiently loaded with ballast (to stop them floating upwards in high tide and exerting pressure from below the floor). The outer sides of the reinforced concrete basins, which contain the facilities and span the entire floor area of each bay, are thus finished with impermeable sheathes; and the size of the special flooring that contain the heating system was calculated taking into account the weight necessary to resist the upward thrust of even an exceptional high tide.

What does seem rather puzzling is the decision of the Italian work group to extend invasive measures against the risk of high water to interior walls between the bays: to a height of some 2 metres above zero sea level, the existing wall surface has been removed (to a depth of 12 centimetres) for the application of PVC sheathing, which was then covered using old bricks to create a lining flush with the wall above.

PUNTA DELLA DOGANA
LE PROJET

ALBERTO
ANSELMI

ENCHÂSSÉE à la confluence du Grand Canal et du canal de la Giudecca, et faisant face au bassin de Saint Marc, l'édifice de la Douane de Mer s'impose comme un point cardinal pour qui rejoint Venise par voie maritime. Disposé selon un axe est-ouest, il est constitué d'une tour qui achève le triangle formé par ce qui semble être des entrepôts composés de travées, à la lumière variable et à la profondeur décroissante. Le long des rives, deux façades jumelles ininterrompues surplombant les canaux clôturent l'ensemble lui conférant une apparence homogène. Une succession régulière d'arcades de style roman marque la cadence rythmique des travées. Chacun des portails en pierre d'Istria consent l'accès à ces espaces de plein pied, recouverts de toits pentus reposant à l'origine sur une série d'épaisses cloisons murales parallèles entre elles et perpendiculaires aux deux canaux.

En 2007, lorsque Tadao Ando entreprend le projet de réorganisation de l'édifice, les travées sont, pour la majeure partie, coupées horizontalement par des entresols réalisés à différentes époques pour multiplier les surfaces utiles. La distribution originelle des pièces, en épi par rapport aux deux rives et qui prévoyait un accès à chaque extrémité, a donc été radicalement modifiée en raison d'interventions ayant eu pour but la réorganisation de l'espace pour un usage différent de celui envisagé initialement. Il en résulte que les arcades d'accès aux canaux, coupés par ces entresols ajoutés petit à petit, apparaissent quasiment toutes, partiellement obstruées. Les trois nefs les plus proches de la tour faisant face au bassin de Saint Marc sont les seules à n'avoir pas subi de transformations radicales. Les planimétries de l'état d'ensemble de l'édifice rendent compte de la distribution des pièces, au rez-de-chaussée et au premier étage, le long d'un couloir central débouchant sur une vaste salle de plein pied. Celle-ci provient de la substitution d'une des cloisons séparant les travées par deux pilastres en pierre. Les autres nefs composant la construction sont fragmentées en de nombreuses pièces, plus petites, communiquant les unes avec les autres par des passages creusés entre leurs parois.

Pour la rédaction puis la réalisation du projet, l'agence Ando s'appuie sur un groupe italien de professionnels, chacun spécialisé dans un corps de métier bien précis. L'architecte Adriano Lagrecacolonna, qui outre sa fonction formelle de directeur des travaux, qui dans les faits sera assumée de façon collégiale par l'ensemble du groupe, est le référent pour la conception des installations techniques. Les ingénieurs Giandomenico et Luigi Cocco ont la responsabilité du délicat travail d'assainissement structurel des entrepôts et la maîtrise d'œuvres, c'est donc dans leur bureau qu'est rédigée la plus grande partie des traductions graphiques des croquis envoyés en Italie par l'architecte japonais. L'agence Ferrara-Palladino a, elle, en charge la conception des systèmes techniques d'éclairage. D'autres interventions, plus circonscrites, comme l'état des lieux, réalisé par le studio de l'architecte Alberto Torsello, sont confiées au fur et à mesure à des spécialistes appelés pour venir en renfort du groupe italien de référence.

Dans la première ébauche du projet datée du 12 juillet 2007, et parvenue au groupe de travail italien le 16 du même mois, Tadao Ando se consacre à la schématisation de la circulation des flux de visiteurs à l'intérieur de l'espace d'exposition. Il prévoit de réorganiser, au moins partiellement, le parcours en périphérie des salles selon la distribution originelle en épi. Il reproduit alors le long de la rive nord des travées à l'intérieur même du bâtiment, la promenade bordant le Grand Canal. L'accès au lieu est prévu uniquement depuis le versant ouest, par l'une des arcades donnant sur le Campo della Salute. Une fois passés la billetterie et le vestiaire, le visiteur progresse vers la tour en longeant le mur surplombant le Grand Canal. A sa droite se succèdent toutes les pièces qui formaient auparavant les anciens entrepôts et qui, à présent partiellement libérées des entresols qui les compartimentaient, peuvent être aperçues dans toute leur ampleur. Les volumétries d'origine, qui n'étaient plus perceptibles, sont de nouveau mises en valeur grâce à l'abattement des murs-rideaux et à la démolition de certains des entresols. Tadao Ando décide d'exploiter l'«exception architecturale» introduite au XIXème siècle, qui a consisté à remplacer le mur continu qui séparait deux travées par une paire de piliers, en projetant autour de ces derniers la construction d'un «enclos» de béton armé sectionnant le parcours à la fois horizontalement que verticalement. Ce «cube», sur lequel s'adosse un escalier d'accès à l'étage supérieur, se tient à l'écart des murs préexistants et des charpentes afin de pouvoir le distinguer nettement de l'édifice dans lequel il est contenu.

Les précautions que prend l'architecte vis-à-vis de l'existant vont jusqu'à refuser toute interaction avec les constructions anciennes. Cela est favorisé par une situation exceptionnelle: le 12 juillet 2007, aucun des relèvements attendus ne sont encore disponibles. L'unique analyse utilisable, outre les registres cadastraux, est caduque et n'aurait de toute façon pu tenir compte de la morphologie exacte et originelle du bâtiment, celui-ci ayant vécu, dans un passé récent, de nombreuses transformations pour la plupart mal documentées. Sa structure est vite libérée de ces ajouts effectués essentiellement au cours des deux derniers siècles grâce à la démolition des contreplaqués, faux-plafonds, mobiliers fixes et cloisons. L'intervention de Tadao Ando ne semble donc pas avoir pour but le seul respect du travail ancestral qui a été effectué à l'intérieur de l'édifice puisqu'il en demande une partielle destruction. Elle vise également de façon plus générale un retour à une certaine logique structurelle. La réalisation du cube, à l'écart des murs d'enceinte, et le choix des finitions pour les nouveaux sols sont donc indépendants de tous les éventuels éclaircissements qui ont pu dériver des enquêtes de salubrité des états des lieux. De façon pragmatique, Ando prend acte d'une anomalie dans la procédure habituelle précédant une intervention sur une construction préexistante et se sert de l'indisponibilité des relèvements comme d'un point de départ pour son travail.

A partir de l'ébauche envoyée mi-juillet, laissant inchangée l'apparence générale du projet, Ando entreprend un travail patient qui se concentre sur quelques petits éléments. Sur les planches successives de l'architecte, datées du 25 juillet 2007, le schéma des parcours, reposant sur le creusement de passages entre les travées les plus longues, subit une première complication. Le parcours longeant le cube est en effet raccourci. Tout d'abord conçu pour suggérer, plus que montrer, au visiteur la présence des salles vides des anciens entrepôts et, en dernier lieu celle aux murs de béton armé, le trajet menant au cœur de l'édifice est diminué d'une travée. La construction des passages suit une logique bien précise: celle d'empêcher la le visiteur d'entrevoir le contenu de la salle successive. Dans le cube, on se heurte alors, sans y être préparé, aux parois puis on est obligé de tourner autour de soi pour en trouver l'issue.

Dans la deuxième phase de dessins, le cube et les nouveaux revêtements, tous les deux «polis et raisonnables» constitués de modules parfaitement emboîtés, semblent radicalement étrangers à l'édifice préexistant, tout comme la modernité selon Marcuse. Ando explique, dans la lettre d'accompagnement à cette version du projet que les murs du pourtour du cube, tout comme ceux des travées adjacentes, doivent être nettoyés pour laisser visibles les briques antiques et apparents tous les éventuels rapiècements.

L'enlèvement de chaque stratification reconnaissable, avec pour objectif tacite évident, de conférer à l'édifice un aspect délabré, vise à constituer un fond homogène faisant exalter la nouvelle construction en béton armé et le nouveau revêtement au sol. Là où de tels procédés semblent inefficaces, et donc inutiles, comme dans la billetterie et dans la cafétéria, Ando n'hésite pas recouvrir les murs avec des mobiliers et à cacher l'entrecroisement des poutres de la charpente avec de nouveaux faux-plafonds.

La situation et la dimension finales du cube apparaissent d'ores et déjà sur la planche du 12 juillet 2007, à l'exception de l'épaisseur du mur qu'Ando envisage égale à 25 centimètres. Sur les planches du projet définitif, présentées à la mairie de Venise par le groupe de travail italien le 10 mars 2008, il mesure 35 centimètres. L'épaisseur du mur finalement réalisé est de 30 centimètres, comme annoncé dans le plan exécutif envoyé à la Surintendance aux monuments de Venise le 8 avril 2008. L'élaboration de la position et de la forme des ouvertures requiert des temps plus longs. Dans un premier temps, l'architecte envisage la possibilité de laisser le visiteur traverser le cube. Déjà dans les dessins du 25 juillet, puis à l'occasion du raccourcissement de la cloison placée entre le parcours avoisinant le cube et ses parois de béton, il déplace définitivement les deux accès du côté du canal de la Giudecca. Sur le croquis du 8 septembre 2007, il propose d'augmenter la hauteur du cube et de transformer la rambarde, qui dans les premières hypothèses, ceignait l'ensemble de l'étage supérieur de la pièce, en un mur interrompu seulement par quatre ouvertures symétriques, deux sur chacune des ailes longeant les canaux. Dans une série de dessins du 29 octobre 2007, l'architecte évoque également l'hypothèse, vite abandonnée, de limiter les ouvertures à une unique fente de 11,4 x 0,3 mètres du côté du Grand Canal.

En portant la hauteur des parois de béton jusqu'à la limite de la partie interne des charpentes, Ando interdit presque complètement la vue des murs de briques des entrepôts depuis l'intérieur du cube. Ainsi, quiconque entre dans le cube a l'impression étrange de pénétrer dans un décor «inversé» par rapport à l'endroit duquel il provient, une sorte de passage du positif au négatif. Alors que précédemment le revêtement au sol était neuf, lisse et brillant, on entre dans une pièce dallée d'anciens *masegni* d'origine. Les murs, eux, ne sont plus recouverts de briques antiques mais de ciment et de béton armé. Alors que la lumière qui se réfléchissait sur l'eau du canal s'infiltrait par les fenêtres latérales pour rayonner de façon oblique dans toute la pièce, dans le cube c'est une lumière zénithale qui tombe verticalement des lucarnes du toit.

A l'extérieur, le cube projeté par Ando mesure 16,2 mètres par côté, pour une hauteur de 6,3 mètres la largeur totale, devant initialement égalisée 9 modules de 1,80 mètres chacun, a été par la suite rognée en raccourcissant de 10 centimètres le premier et le dernier module, sur demande expresse du groupe italien de travail, de façon à garantir un passage large d'au moins 2 mètres – 1,80 minimum aux points les plus étroits – tout autour de la pièce. Le module de 0,9 x 1,8 mètres, sur lequel Ando dimensionne habituellement ses projets, correspond à la dimension des panneaux assemblés pour former le coffrage dans lequel est coulé le béton. Les contours des panneaux une fois découpés, sont juxtaposés de telle façon que leurs bords s'emboitent parfaitement entre eux et forment une unique plaque lisse, pour que les jonctions entre chaque élément soient totalement imperméables, la plus petite couture de béton risquant de marquer de façon indélébile la paroi. Sur le mur une fois fini n'apparaissent que la trace fine et régulière des bords des panneaux et les empreintes laissées par les câbles d'ancrage tendus entre eux durant les opérations de montage précédant la coulée de béton. En outre, pour obtenir la plus grande homogénéité d'aspect possible des surfaces, chaque coulée de béton est exécutée sans interruption. Pour cela, une grande attention a du être portée à l'étude du nombre et de l'emplacement des joints de reprise qui, incontournables sur une construction en béton armé, ont été du être réduits au minimum nécessaire. Dans la construction du cube n'ont donc été prévu que deux joints verticaux par côté et aucun joint horizontal, chaque segment ayant été réalisé d'un seul jet. Pour rendre possible une telle opération, il fallait disposer de trois bétonneuses, positionnées sur une embarcation ancrée à l'extérieur du bâtiment le long de la rive du canal de la Giudecca, desquelles ramener à travers un conduit le béton, de façon continue, à l'intérieur des coffrages. L'opération de stabilisation du tuyau, soumis aux ondulations causées par le courant du canal et à l'allégement progressif de la bétonneuse, est indispensable pour garantir la distribution homogène et le compactage de l'aggloméré à l'intérieur des moules. Elle a nécessité plus d'espace de manœuvre que prévu. Pour cette raison, dans le chantier, la hauteur du mur a du être réduite de 0,225 mètres par rapport à la mesure du projet, c'est-à-dire à un quart de module.

Le poids, la forme et la dimension du cube de béton ont été définis en fonction d'une étude précise des fondations. Sa construction a été compliquée par la condition délicate du site sur lequel il repose et par la présence des fondations du mur qui séparait les deux travées qui se trouvent encore intactes à la même place, en dépit des démolitions des ajouts réalisés au cours du XIXème siècle. La consistance instable et meuble du sous-sol, confirmée par une série d'enquêtes géognostiques, était déjà en partie connue puisqu'elle avait déjà conduit au glissement d'une portion du mur d'enceinte côté Grand Canal avant même le début des travaux. En effet, l'appauvrissement d'un fond déjà instable et les remous souterrains des dernières années causés par des travaux de manutention sur les rives et par une intervention au cours de laquelle ont été trafiquées des anciennes chaines de bois, ont vraisemblablement été à l'origine du penchement insidieux de la façade. Celle-ci dernière a pu être récupérée grâce à la restauration du bâtiment selon son schéma structurel d'origine. Pour empêcher que se reproduise une situation analogue pour le «mur Ando», vu les caractéristiques des sous-sols, une double couronne de pilotis a été réalisée pour soutenir les fondations de la nouvelle construction. Ce choix a permis de mettre à l'abri l'édifice tout entier: en cas de dislocation des nouvelles fondations, les fondations d'origine pourraient prendre le relais pour empêcher le cube de béton de s'effondrer. Sans cela, ce dernier aurait pu se détériorer ou de se détruire et finir par porter gravement atteinte à la structure préexistante en en compromettant le maintien.

Dès les planches d'Ando du 25 juillet 2007, on peut remarquer que les revêtements au sol nécessiteront, comme pour le cube, un processus de distillation particulier, ce qui l'amènera à changer à plusieurs reprises le type de finition et la disposition des joints. Dans les premiers dessins envoyés, à chaque espace fonctionnel correspondait un type de sol différent, avec toutefois quelques zones d'ombre sur le parcours menant de la billetterie au cœur du bâtiment et sur le reste de l'espace d'exposition. A ce dernier sera attribué, dans tout le rez-de-chaussée et le premier étage, un seul type de revêtement avec pour seule exception l'intérieur du cube, comme dit précédemment. Des finitions différentes sont, en revanche, choisies pour la tour et les espaces l'avoisinant et, plus tard, également pour la billetterie et tous les autres espaces n'étant pas destinés à abriter des œuvres d'art. Parmi toutes les différentes finitions prises en considération, Ando évoque l'idée, par la suite écartée, d'imiter pour le rez-de-chaussée le même sol que celui qui fut utilisé par Carlo Scarpa dans la tombe monumentale Brion: une mosaïque de *sampietrini* de 3 x 3 centimètres de côté, coulés dans le béton puis polis, qui reproduit le sol des terrasses vénitiennes. Une fois stabilisés les matériaux à utiliser dans chacune des pièces, Ando imagine de nouveau de nombreuses variantes concernant à la fois la disposition des joints de dilatation et les coupes de fractionnement et le tissage du sol du cube en *masegni*, jusqu'à projeter la position de chacune des pièces d'assemblage.

Pour l'emplacement des installations électriques et mécaniques, Ando prévoit tout d'abord de disposer à l'écart des murs des entrepôts et dissimulés derrière des grilles identiques à celles des fenêtres, des conteneurs visibles et identifiables. Cependant, François Pinault exigea de dégager au maximum les nefs pour mettre en valeur les œuvres exposées. Le nombre de locaux techniques a donc du être diminué pour être finalement réduit à un total de cinq, trois au rez-de-chaussée et deux au premier étage. La plus grande des pièces dédiée à ces équipements est en partie mise sous terre et est positionnée dans la nef la plus longue, dont elle occupe quasiment le tiers de l'espace.

Le groupe italien de travail étudie la possibilité de placer une partie des conduites dans des fourreaux ad-hoc positionnés contre les murs des entrepôts et réalisés en briques anciennes de façon à se fondre dans la construction préexistante. Les équipements de plus petite dimension, eux, trouvent leur place dans les anciennes alcôves des gouttières adossées aux murs porteurs remises à la lumière au cours des travaux de démolition des contreplaqués. Un important réseau de canalisations traversent également les sous-sols, aux endroits les plus profonds, jusqu'à une hauteur de fondation de -2,2 mètres par rapport au plancher. Elles se trouvent donc parfois en dessous du niveau marégraphique relevé à Punta della Salute. Il a donc du être nécessaire de prévoir une imperméabilisation adéquate et un lestage suffisant des structures pour éviter tout risque d'infiltration ou de montée des eaux par le sol en cas de haute marée. Les parois externes de béton armé des cuves occupant la surface entière des nefs et contenant les équipements, sont donc entièrement recouverts d'une gaine imperméable. Par ailleurs, le dimensionnement des paquets contenant le système de chauffage au sol, a du tenir compte du poids capable de contrecarrer la poussée de l'eau en cas de marée exceptionnelle. La décision du groupe italien d'étendre cette intervention de protection contre le risque d'*acqua alta* peut toutefois laissés perplexes dans la mesure où elle a conduit au sacrifice d'une portion des murs préexistants d'une épaisseur de 12 centimètres puis à l'application d'une gaine en PVC et d'un revêtement avec des briques anciennes le long du mur.

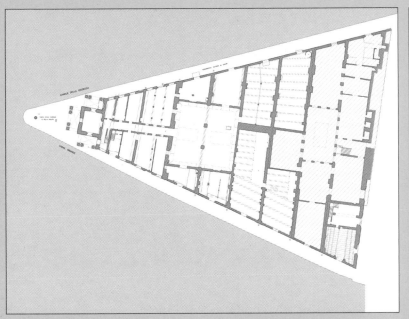

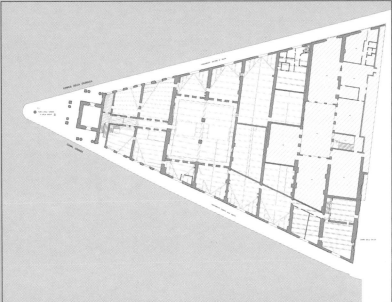

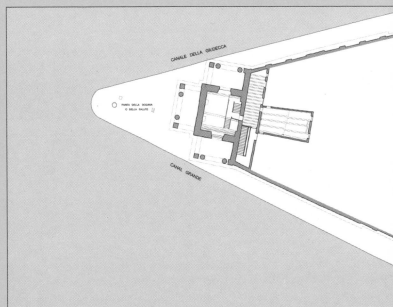

Ottobre 2007, rilievo della pianta del piano terra,
del piano primo e del piano secondo.

October 2007, study of the layout of the ground floor,
of the first floor and of the second floor.

Octobre 2007, relevé du plan du rez-de-chaussée,
du premier étage et du deuxième étage.

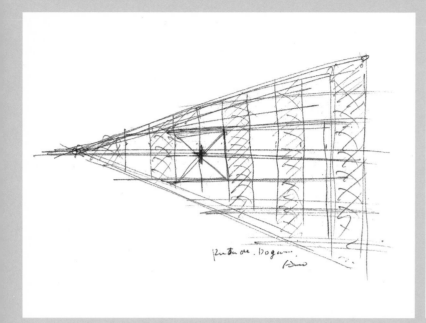

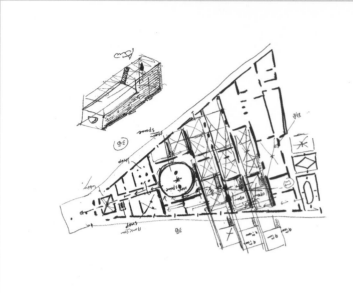

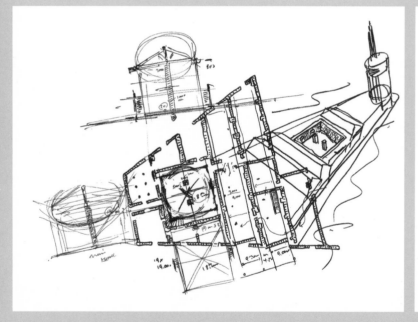

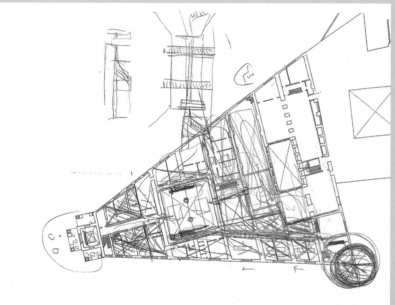

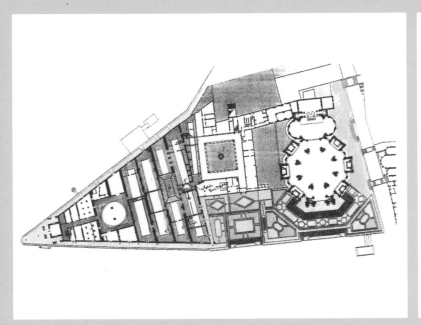

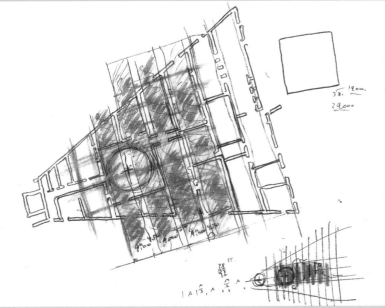

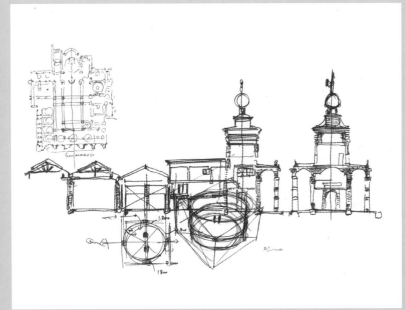

Tadao Ando, schizzi di studio per la sistemazione
del complesso di Punta della Dogana.

Tadao Ando, study sketches for the layout of the Punta
della Dogana complex.

Tadao Ando, croquis d'étude pour l'aménagement
de l'ensemble de la Punta della Dogana.

Tadao Ando, schizzi preliminari: pianta di analisi del sito,
pianta e sezione di studio per la distribuzione interna.

Tadao Ando, preliminary sketches: analysis of site layout,
study plan and section of movement through the
building.

Tadao Ando, croquis préliminaires: plan d'analyses du
site, plan et coupe d'étude pour la distribution interne.

118

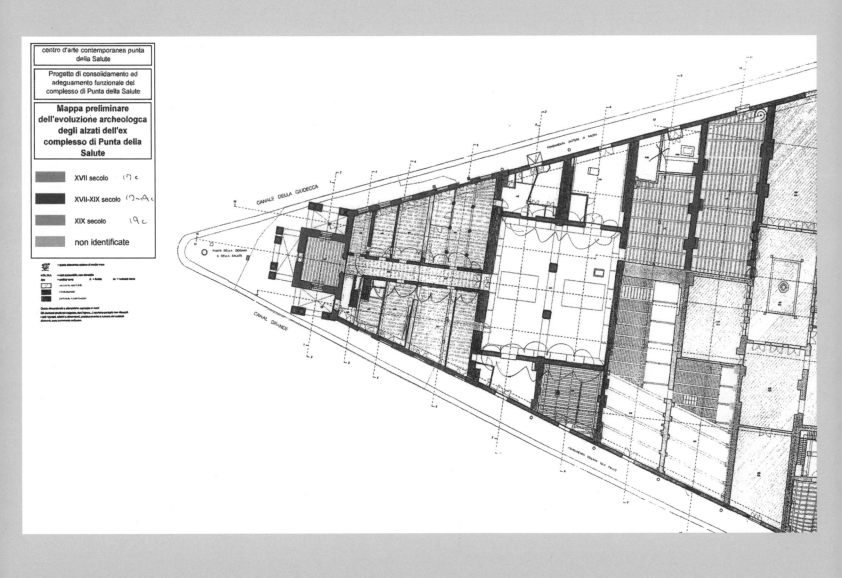

Tadao Ando, schizzi preliminari: piante di studio per la distribuzione interna.

Tadao Ando, preliminary sketches: study plans of movement through the building.

Tadao Ando, croquis préliminaires: plans d'étude pour la distribution interne.

Pianta del piano terra con evidenziata l'evoluzione archeologica dal XVII al XIX secolo.

Plan of the ground floor with the archaeological developments from the seventeenth to the nineteenth centuries highlighted.

Plan du rez-de-chaussée soulignant l'évolution archéologique du XVIIéme au XIXème siècle.

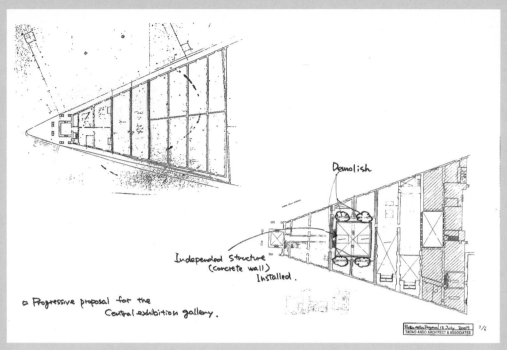

Tadao Ando, 12 luglio 2007, schizzi di studio della pianta del piano terra e della sezione longitudinale.

Tadao Ando, 12 July 2007, study sketches of the ground floor plan and of the longitudinal section.

Tadao Ando, 12 juillet 2007, croquis d'étude du plan du rez-de-chaussée et du coupe longitudinale.

Tadao Ando, 25 luglio 2007, pianta del piano primo e secondo e pianta del piano terra.

Tadao Ando, 25 July 2007, plan of first and second floor levels and plan of ground floor.

Tadao Ando, 25 juillet 2007, plan du premier et deuxième étage et plan du rez-de-chaussée.

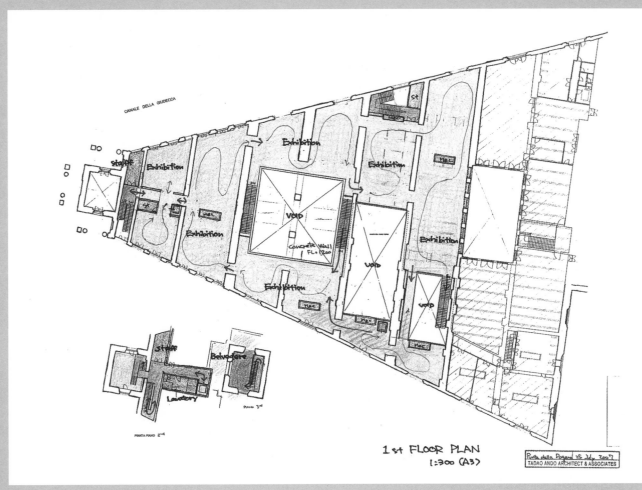

CANALE DELLA GUDECCA

Exhibition

staff

Exhibition

Exhibition

Exhibition

wc

VOID

Concrete Wall
FL + 1200

Exhibition

VOID

Exhibition

Exhibition

wc

VOID

wc

wc

staff

Belvedere

Lavatory

PIANTA PIANO 2nd

Piano 3rd

1st FLOOR PLAN
1:300 (A3)

Ponta della Dogana 25 July 2007
TADAO ANDO ARCHITECT & ASSOCIATES

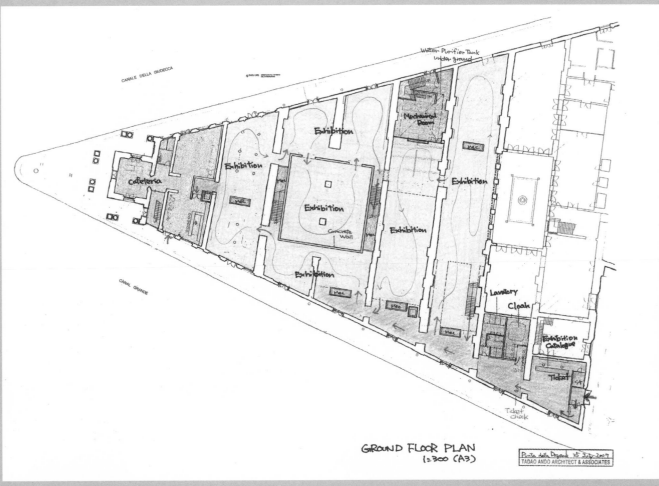

Water Purifier Tank
Under ground

CANALE DELLA GUDECCA

Exhibition

Medical Room

wc

Exhibition

Cafeteria

Exhibition

wc

Exhibition

Exhibition

Concrete Wall

Exhibition

wc

Exhibition

wc

CANAL GRANDE

wc

Lavatory

Cloak

Exhibition
Catalogue

Ticket

Ticket
check

GROUND FLOOR PLAN
1:300 (A3)

Ponta della Dogana 25 July 2007
TADAO ANDO ARCHITECT & ASSOCIATES

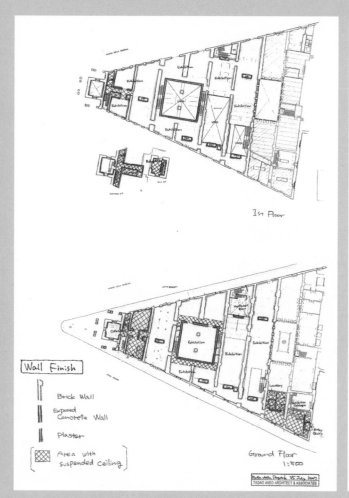

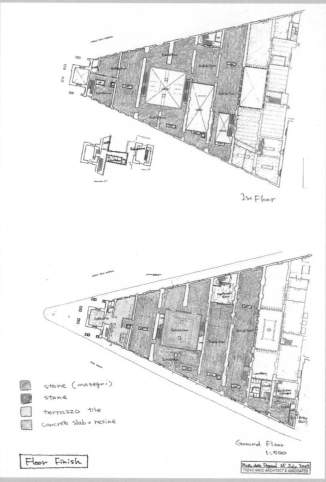

Tadao Ando, 25 luglio 2007, schizzi di studio
per la finitura delle pareti e dei pavimenti.

Tadao Ando, 25 July 2007, study sketches of wall
and floor finishings.

Tadao Ando, 25 juillet 2007, croquis d'étude
pour les finitions des murs et des sols.

Tadao Ando, 29 novembre 2007, schizzi di studio
della sala del recinto, attacchi ai muri della scala est
e della scala ovest.

Tadao Ando, 29 November 2007, study sketches
of the room within the enclosure, junctions to the walls
of the east and west staircases.

Tadao Ando, 29 novembre 2007, croquis d'étude
de la salle du cube, point de jonction au murs
de l'escalier est et de l'esclaier ouest.

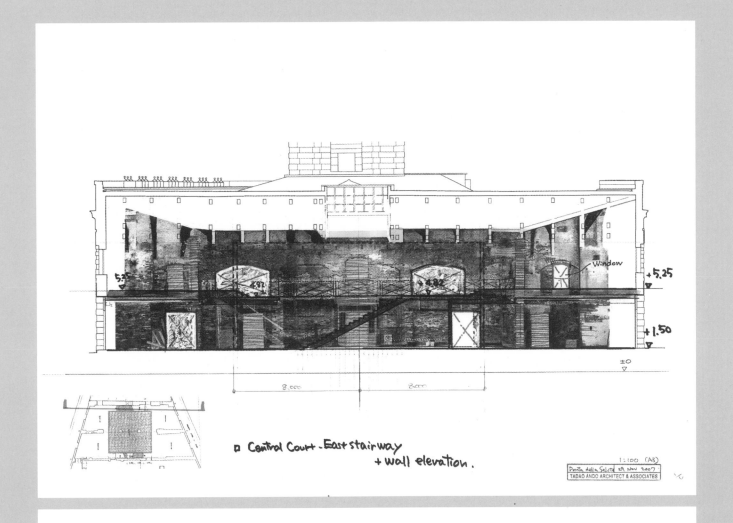

□ Central Court - East stairway
     + Wall elevation.

+5.25

+1.50

±0

1:100 (A3)

Punta della Salute 29 Nov 2007
TADAO ANDO ARCHITECT & ASSOCIATES

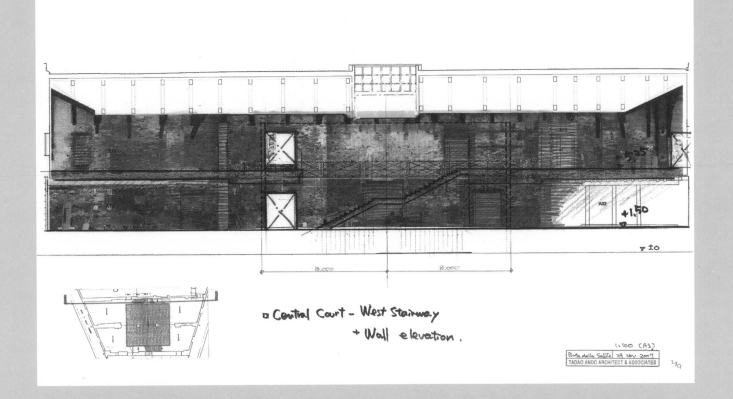

□ Central Court - West Stairway
      + Wall elevation.

±0

+1.50

1:100 (A3)

Punta della Salute 29 Nov 2007
TADAO ANDO ARCHITECT & ASSOCIATES

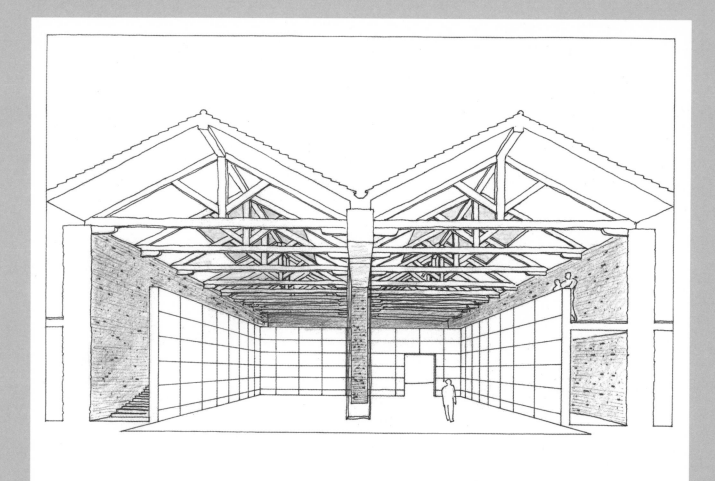

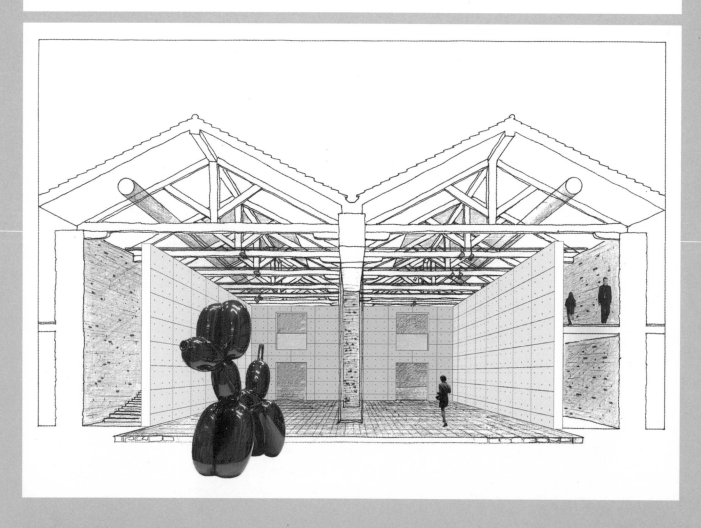

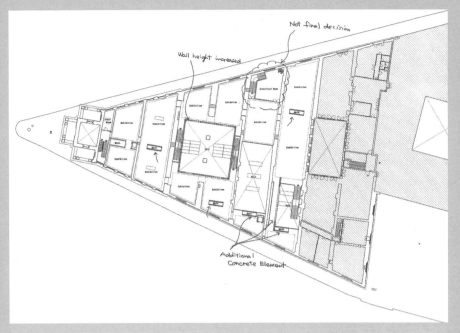

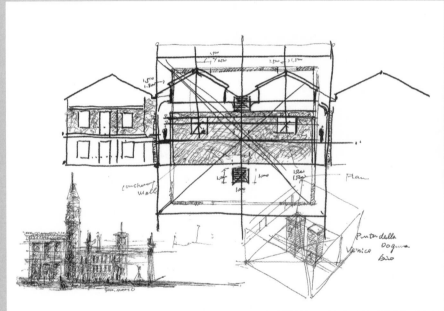

Tadao Ando, prospettiva verso l'interno del recinto,
12 luglio 2007 e 10 settembre 2007.

Tadao Ando, view looking towards the interior
of the enclosure, 12 July 2007 and 10 September 2007.

Tadao Ando, perspective vers l'intérieur du cube,
12 juillet 2007 et 10 septembre 2007.

Tadao Ando, 8 settembre 2007, pianta del piano primo.

Tadao Ando, 8 September 2007, ground floor plan.

Tadao Ando, 8 septembre 2007, plan du premier étage.

Tadao Ando, schizzi preliminari: prima ipotesi
per l'inserimento del recinto, sezione e pianta.

Tadao Ando, preliminary sketches: first hypothesis
for the insertion of the enclosure, section and floor plan.

Tadao Ando, croquis préliminaires: première hypothèse
pour l'insertion du cube, section et plan.

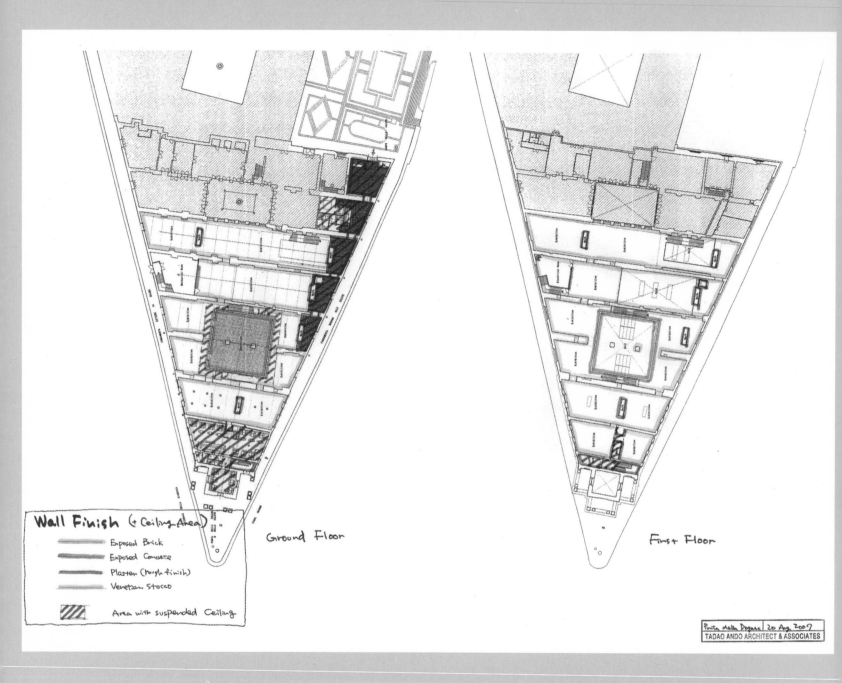

Wall Finish (+ Ceiling Area)

Exposed Brick
Exposed Concrete
Plaster (rough finish)
Venetian Stucco

Area with suspended Ceiling

Ground Floor

First Floor

Punta della Dogana | 20 Aug 2007
TADAO ANDO ARCHITECT & ASSOCIATES

126

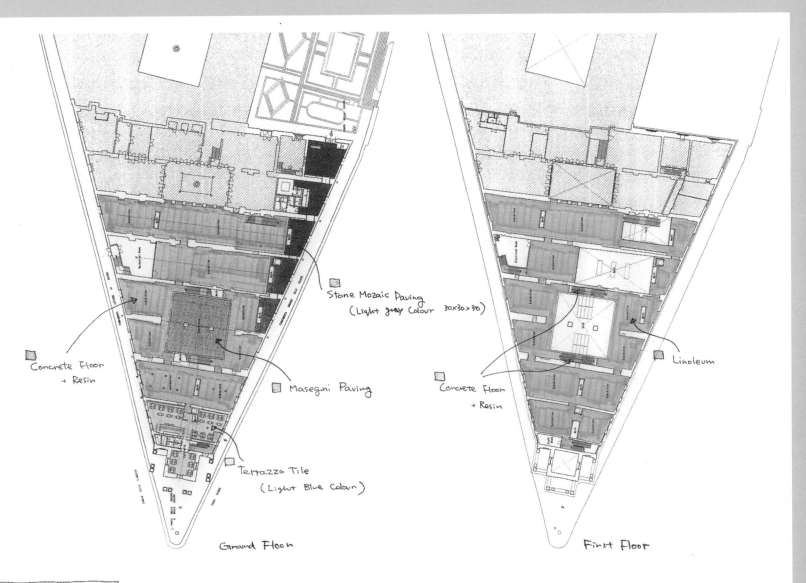

Concrete Floor + Resin

Stone Mozaic Paving
(Light grey Colour 30×30×30)

Masegni Paving

Terrazzo Tile
(Light Blue Colour)

Ground Floor

Concrete Floor + Resin

Linoleum

First Floor

Floor Finish.

Punta della Dogana 30 Aug 2007
TADAO ANDO ARCHITECT & ASSOCIATES

Tadao Ando, 20 agosto 2007, schizzi di studio
per la finitura delle pareti e dei pavimenti.

Tadao Ando, 20 August 2007, study sketches of the wall
and floor finishings.

Tadao Ando, 20 août 2007, croquis d'étude
pour la finition des murs et des sols.

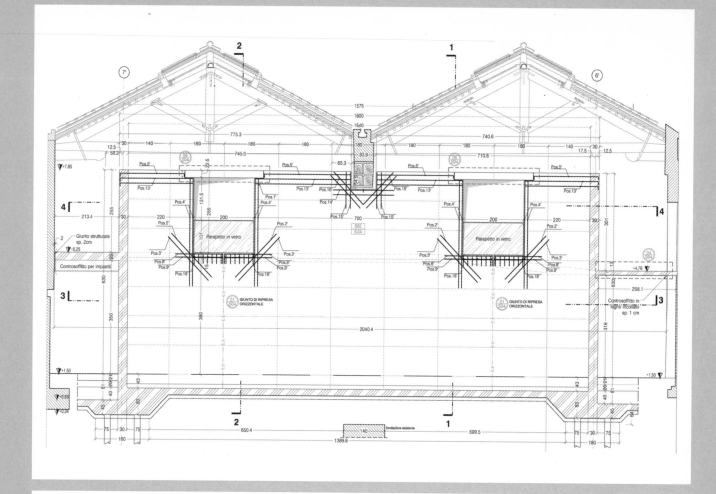

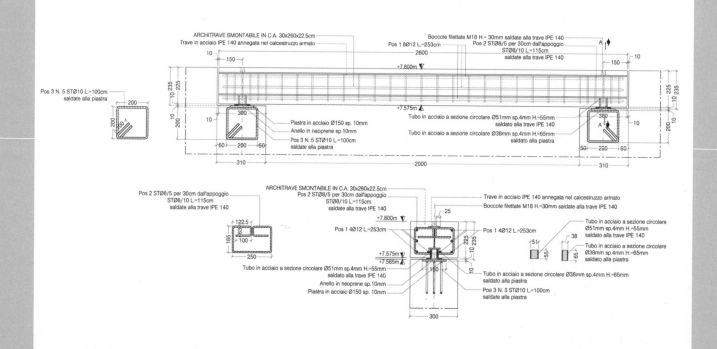

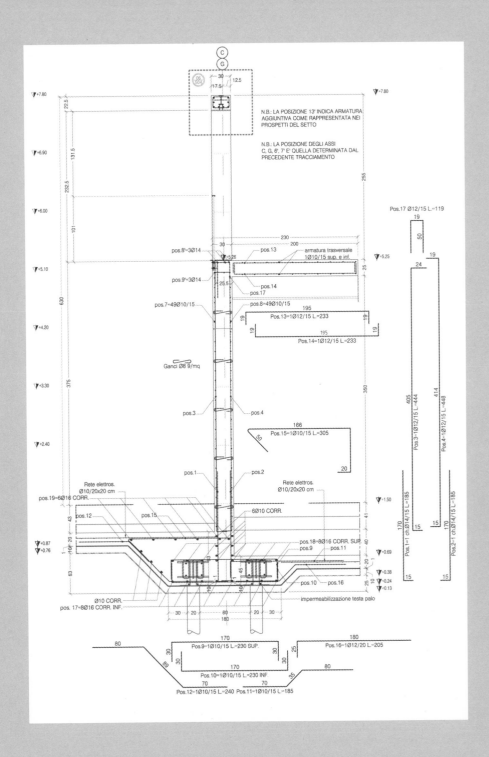

N.B.: LA POSIZIONE 13' INDICA ARMATURA AGGIUNTIVA COME RAPPRESENTATA NEI PROSPETTI DEL SETTO

N.B.: LA POSIZIONE DEGLI ASSI C, G, 6', 7' E' QUELLA DETERMINATA DAL PRECEDENTE TRACCIAMENTO

Pos.17 Ø12/15 L.=119

pos.8'=3Ø14
pos.9'=3Ø14
pos.13
armatura trasversale 1Ø10/15 sup. e inf.
pos.14
pos.17
pos.7=49Ø10/15
pos.8=49Ø10/15
Pos.13=1Ø12/15 L.=233
Pos.14=1Ø12/15 L.=233
Ganci Ø8 9/mq
pos.3
pos.4
Pos.15=1Ø10/15 L.=305
pos.1
pos.2
Pos.3=1Ø12/15 L.=444
Pos.4=1Ø12/15 L.=448
Rete elettros. Ø10/20x20 cm
pos.19=6Ø16 CORR.
Rete elettros. Ø10/20x20 cm
pos.12
pos.15
6Ø10 CORR.
pos.18=8Ø16 CORR. SUP.
pos.9
pos.11
Pos.1=1 ch.Ø14/15 L.=185
Pos.2=1 ch.Ø14/15 L.=185
pos.10
pos.16
Ø10 CORR.
pos. 17=8Ø16 CORR. INF.
impermeabilizzazione testa palo

Pos.9=1Ø10/15 L.=230 SUP.
Pos.16=1Ø12/20 L.=205
Pos.10=1Ø10/15 L.=230 INF.
Pos.12=1Ø10/15 L.=240
Pos.11=1Ø10/15 L.=185

1° agosto 2008, disegni esecutivi del recinto in c.a., setto verso il Canal Grande: prospetto interno e dettaglio 06/S04 dell'architrave smontabile.

1 August 2008, executive drawings of the enclosure in reinforced concrete, wall on the Grand Canal side: internal view and detail 06/S04 moveable architrave.

1 août 2008, dessins exécutifs du cube en béton armé, cloison côté Grand Canal: façade interne et détail 06/S04 du poutre de soutènement démontable.

1° agosto 2008, disegno esecutivo del recinto in c.a., setto verso il Canal Grande, armature della sezione 2-2.

1 August 2008, executive drawing of the enclosure in reinforced concrete, wall on Grand Canal side, reinforcing framework of section 2-2.

1 août 2008, dessin exécutif du cube en béton armé, cloison côté Grand Canal, armatures section 2-2.

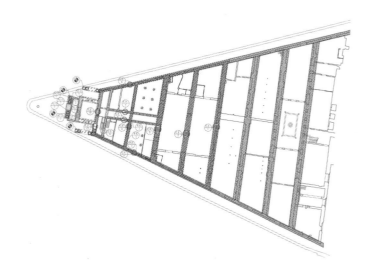

LEGENDA TIPI DI FONDAZIONI

FONDAZIONI SU PALI

FONDAZIONI IN MURATURA

FONDAZIONE PRESUNTA DELLA TORRE PREESISTENTE

FONDAZIONI CON ASSITO

FONDAZIONI IN MURATURA IPOTIZZATE

FONDAZIONI NON RILEVATE

SONDAGGI SUB - VERTICALI A CAROTAGGIO CONTINUO NELLE MURATURE DI FONDAZIONE, AD UNA PROFONDITA' DI 5 M ESEGUITI DA ISMES DEL GRUPPO CESI S.p.A. MILANO, NEL PERIODO TRA GENNAIO 2004 E LUGLIO 2005

SONDAGGI SUB - VERTICALI A CAROTAGGIO CONTINUO NELLE MURATURE DI FONDAZIONE, ESEGUITI DALLA FONDEDILE S.p.A. NEL MARZO 1985

POZZETTI ESPLORATIVI DELLE MURATURE DI FONDAZIONE, ESEGUITI DA ISMES DEL GRUPPO CESI S.p.A, MILANO, NEL PERIODO TRA GENNAIO 2004 E LUGLIO 2005

FONDAZIONE IN MURATURA DEL PILASTRO CONSOLIDATA CON PALI RADICE INFISSI DALLA FONDEDILE S.p.A. NEL MARZO 1985

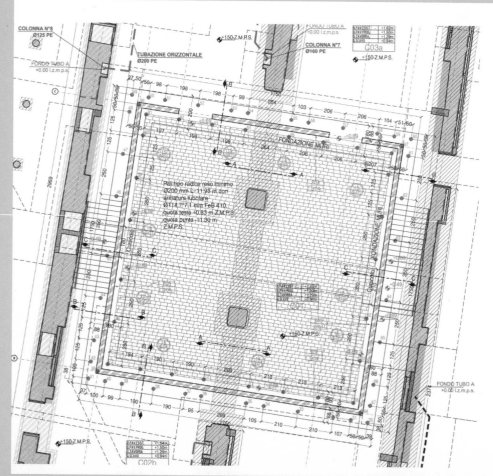

COLONNA N°8 Ø125 PE
TUBAZIONE ORIZZONTALE Ø200 PE
FONDO TUBO A +0.00 l.z.m.p.s.
COLONNA N°7 Ø160 PE
FONDO TUBO A +0.00 (z.m.p.s.)
+150 Z.M.P.S.

Pali tipo radice reso minimo Ø200 mm L 11.93 m con armatura tubolare Ø114.7/7.1 mm FeB 410. quota testa +0.83 m Z.M.P.S. quota punta -11.30 m Z.M.P.S.

FONDAZIONE MURI

FONDO TUBO A +0.00 (z.m.p.s.)

LEGENDA TIPI DI TUBAZIONI

TUBAZIONE DI SCARICO ACQUE METEORICHE IN PE

TUBAZIONE DI SCARICO VASCHE DI DEPURAZIONE

LEGENDA TIPI DI FONDAZIONI

FONDAZIONI SU PALI

FONDAZIONI IN MURATURA

FONDAZIONI IN PIETRA

FONDAZIONI CON ASSITO

FONDAZIONI IN MURATURA IPOTIZZATE

FONDAZIONI NON RILEVATE

NUOVE FONDAZIONI

FONDAZIONE ESISTENTE INTERESSATA DA PARZIALI DEMOLIZIONI

PROTEZIONE ACQUE ALTE: GUAINA IN PVC+LAMIERA

PROTEZIONE ACQUE ALTE: GUAINA BENTONITICA+MURATURA

PROTEZIONE ACQUE ALTE: PARATIA IN ACCIAIO

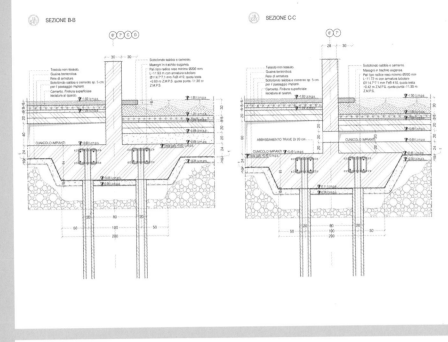

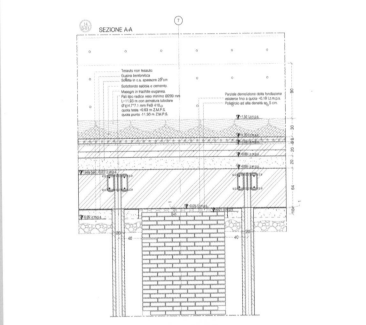

14 gennaio 2008, pianta dello stato di fatto delle fondazioni.

14 January 2008, plan of current state of the foundations.

14 janvier 2008, plan de l'état des lieux des fondations.

13 febbraio 2008, disegno esecutivo della pianta delle fondazioni del recinto in c.a.

13 February 2008, executive drawing of the plan of the foundation of the enclosure in reinforced concrete.

13 février 2008, dessin exécutif du plan des fondations du cube en béton armé.

21 febbraio 2008: dettaglio 15/So1, sezione B-B, nuova fondazione del recinto in c.a.; dettaglio 18/So1, sezione C-C, nuova fondazione del recinto in c.a. sopra il nuovo cunicolo degli impianti; dettaglio 14/So1, sezione A-A, nuova fondazione del recinto in c.a. sopra la fondazione esistente.

21 February 2008: detail 15/So1, section B-B, new foundations of the reinforced concrete enclosure; detail 18/So1, section C-C, new foundations of the reinforced concrete enclosure above the new duct for cables, pipes and tubes; detail 14/So1, section A-A, new foundations of the reinforced concrete enclosure, above the existing foundations.

21 février 2008: détail 15/So1, section B-B, nouvelles fondations du cube en béton armé; détail 18/So1, section C-C, nouvelles fondations du cube en béton armé sur nouvelles conduites d'équipements; détail 14/So1, section A-A, nouvelles fondations du cube en béton armé par dessus les anciennes fondations.

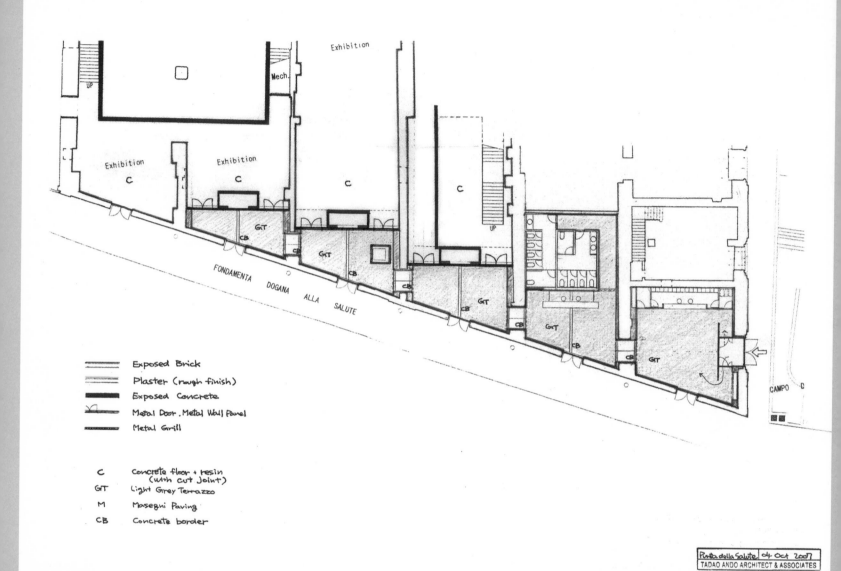

Exposed Brick
Plaster (rough finish)
Exposed Concrete
Metal Door . Metal Wall Panel
Metal Grill

C   Concrete floor + resin
       (with cut joint)
GT   Light Grey Terrazzo
M   Masegui Paving
CB   Concrete border

Punta della Salute | 04 Oct 2007
TADAO ANDO ARCHITECT & ASSOCIATES

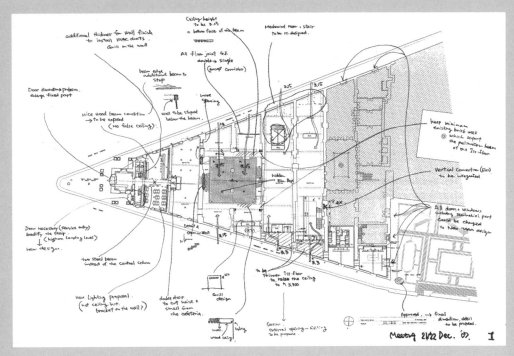

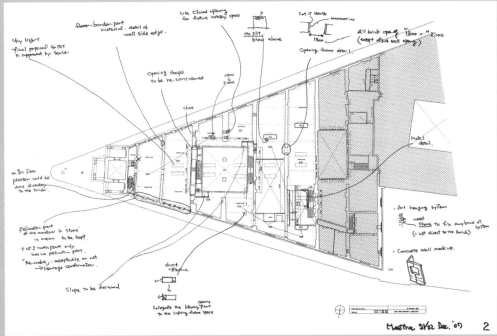

Tadao Ando, 4 ottobre 2007, schizzo di studio
per le finiture.

Tadao Ando, 4 October 2007, study sketch
of the finishings.

Tadao Ando, 4 octobre 2007, croquis d'étude
pour les finitions.

Tadao Ando, 21-22 dicembre 2007, schizzi di studio
per il piano terra e per il piano primo.

Tadao Ando, 21-22 December 2007, study sketches
of the ground floor and of the first floor.

Tadao Ando, 21-22 décembre 2007, croquis d'études
pour le rez-de-chaussée et pour le premier étage.

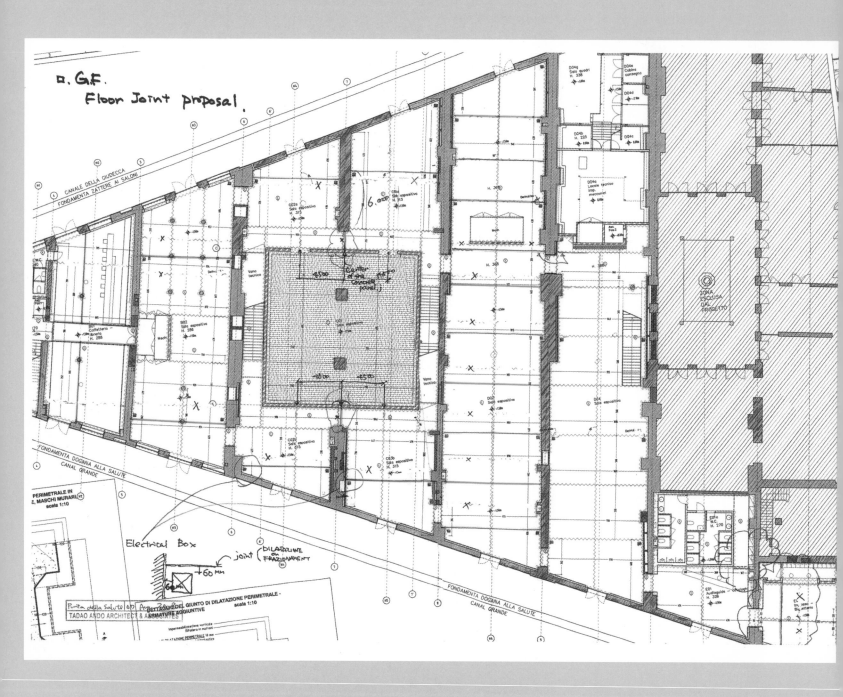

Tadao Ando, 7 agosto 2008, pianta del piano terra, schizzo di studio per i giunti a pavimento.

Tadao Ando, 7 August 2008, ground floor plan, study sketch of the floor junctions.

Tadao Ando, 7 août 2008, plan du rez-de-chaussée, croquis d'étude pour les joints au sol.

Tadao Ando, 8 agosto 2008, pianta del piano primo, schizzo di studio per i giunti a pavimento e le scatole elettriche.

Tadao Ando, 8 August 2008, first floor plan, study sketch of floor junctions and fuse boxes.

Tadao Ando, 8 août 2008, plan du premier étage, croquis d'étude pour les joints au sol et les boites électriques.

□ First Floor

Floor Joints & Electrical Boxes.

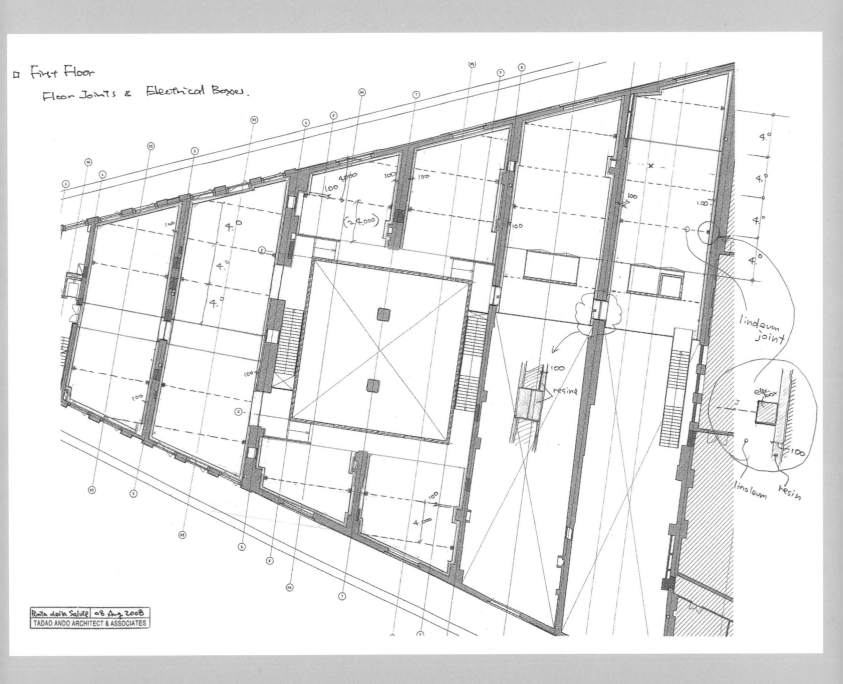

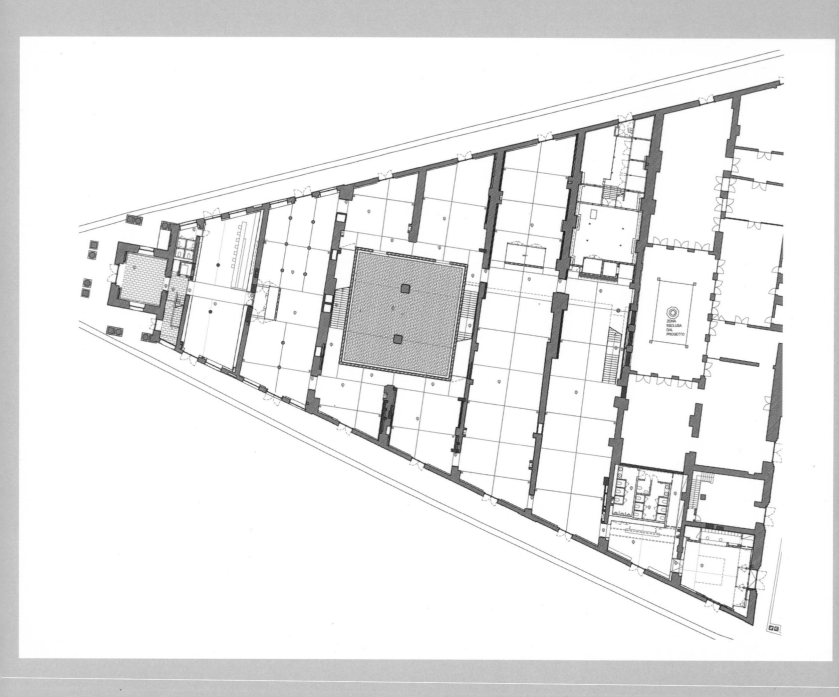

ZONA
ESCLUSA
DAL
PROGETTO

Aggiornamento 23 agosto 2008, giunti del piano terra, planimetria.

Update 23 August 2008, junctions at ground floor level, plan.

Mise à jour 23 août 2008, joints du rez-de-chaussée, planimétrie.

Aggiornamento 23 agosto 2008, dettagli dei giunti al piano terra: giunto di frazionamento, giunto di dilatazione, posizione cassetta elettrica, giunto di dilatazione a contatto della parete.

Update 23 August 2008, details of junctions at ground floor level: details of joints on ground floor, dividing joint, expansion joint, position of electrical board, expansion joint in contact with wall.

Mise à jour 23 août 2008, détails des joints au rez-de-chaussée: joint de fractionnement, joint de dilatation, position du tableau électrique, joint de dilatation en contact avec le mur.

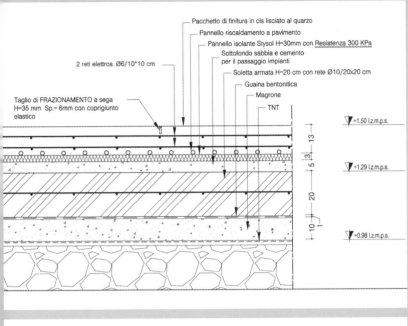

2 reti elettros. Ø6/10*10 cm

Pacchetto di finitura in cls lisciato al quarzo
Pannello riscaldamento a pavimento
Pannello isolante Stysol H=30mm con Resistenza 300 KPa
Sottofondo sabbia e cemento per il passaggio impianti
Soletta armata H=20 cm con rete Ø10/20x20 cm
Guaina bentonitica
Magrone
TNT

Taglio di FRAZIONAMENTO a sega H=35 mm Sp.= 6mm con coprigiunto elastico

▽ +1.50 l.z.m.p.s.
▽ +1.29 l.z.m.p.s.
▽ +0.98 l.z.m.p.s.

13
3
5
20
10
1

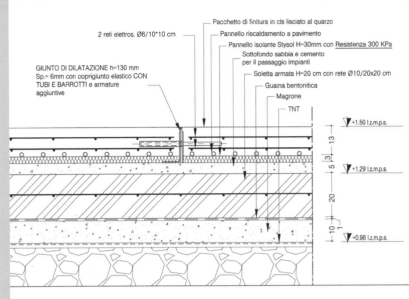

2 reti elettros. Ø6/10*10 cm

Pacchetto di finitura in cls lisciato al quarzo
Pannello riscaldamento a pavimento
Pannello isolante Stysol H=30mm con Resistenza 300 KPa
Sottofondo sabbia e cemento per il passaggio impianti
Soletta armata H=20 cm con rete Ø10/20x20 cm
Guaina bentonitica
Magrone
TNT

GIUNTO DI DILATAZIONE h=130 mm Sp.= 6mm con coprigiunto elastico CON TUBI E BARROTTI e armature aggiuntive

▽ +1.50 l.z.m.p.s.
▽ +1.29 l.z.m.p.s.
▽ +0.98 l.z.m.p.s.

13
3
5
20
10
1

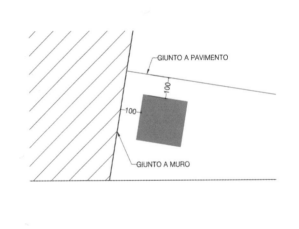

GIUNTO A PAVIMENTO

100
100

GIUNTO A MURO

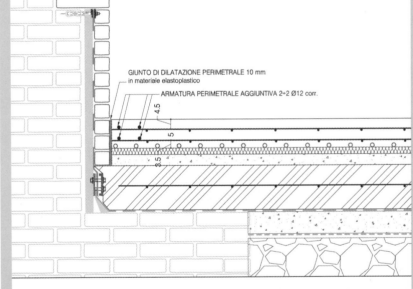

GIUNTO DI DILATAZIONE PERIMETRALE 10 mm in materiale elastoplastico

ARMATURA PERIMETRALE AGGIUNTIVA 2+2 Ø12 corr.

4.5
5
3.5

137

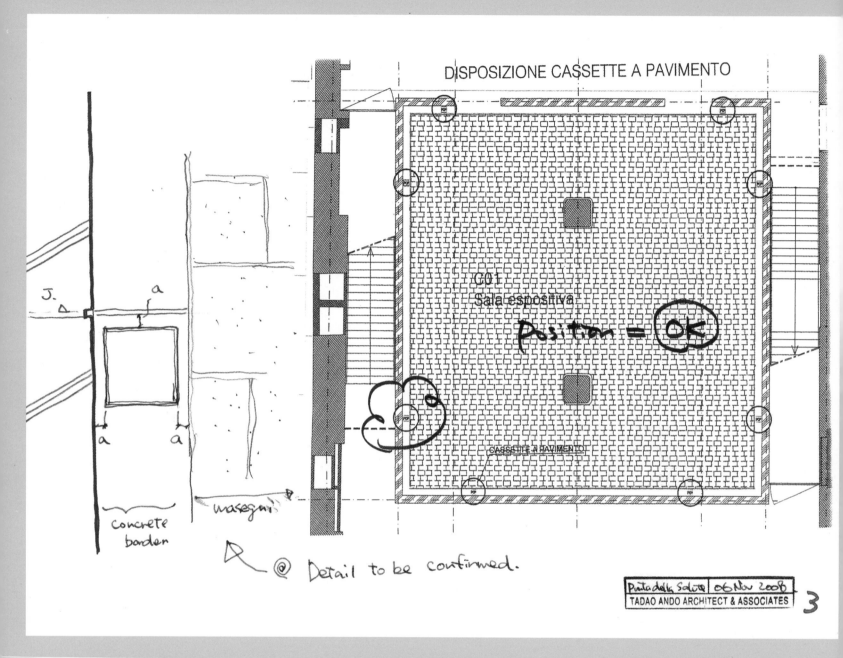

DISPOSIZIONE CASSETTE A PAVIMENTO

C01
Sala espositiva

Position = OK

CASSETTE A PAVIMENTO

concrete border

masegni

@ Detail to be confirmed.

Punta della Salute | 06 Nov 2008
TADAO ANDO ARCHITECT & ASSOCIATES 3

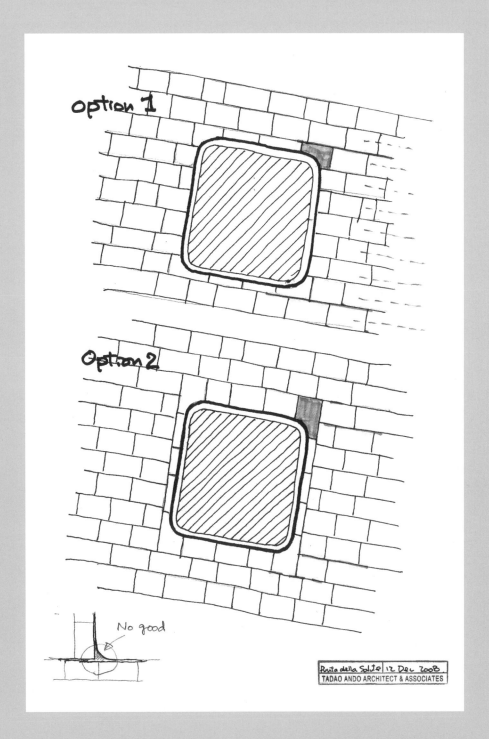

Tadao Ando, 6 novembre 2008, schizzo di studio
per la disposizione delle cassette a pavimento.

Tadao Ando, 6 November 2008, study sketch
of the layout of the floor boxes.

Tadao Ando, 6 novembre 2008, croquis d'étude
pour la disposition des boites au sol.

Tadao Ando, 12 dicembre 2008, schizzo di studio
per la tessitura dei *masegni* nella corte centrale.

Tadao Ando, 12 December 2008, study sketch
for the layout of the *masegni* in the central courtyard.

Tadao Ando, 12 décembre 2008, croquis d'étude
pour le tissage des *masegni* dans la cour centrale.

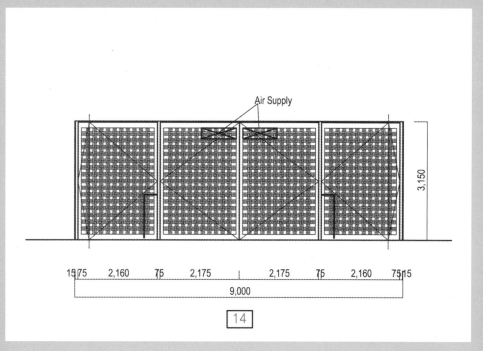

Air Supply

3,150

15|75   2,160   75   2,175   2,175   75   2,160   75|15

9,000

14

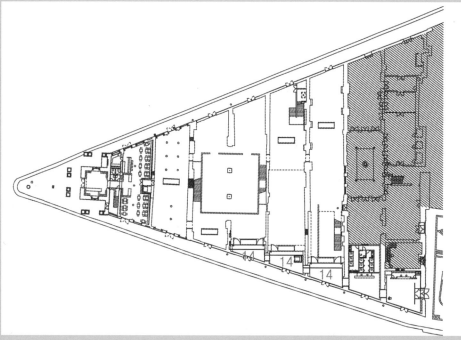

Tadao Ando, 29 ottobre 2007, pianta del piano terra
e dettaglio delle grate previste nella prima ipotesi.

Tadao Ando, 29 October 2007, plan of ground floor
and detail of gratings planned in the first conjecture.

Tadao Ando, 29 octobre 2007, plan du rez-de-chaussée
et détail des grilles prévues dans la première version.

Tadao Ando, schizzo di studio dei dettagli relativi
alle scale attorno al recinto e ai relativi vani tecnici
per gli impianti tecnologici.

Tadao Ando, study sketch of details of the stairs around
the enclosure and the housings for cables, tubes
and pipes.

Tadao Ando, croquis d'étude des détails relatifs
aux escaliers autour du cube et aux locaux techniques
pour les équipements technologiques.

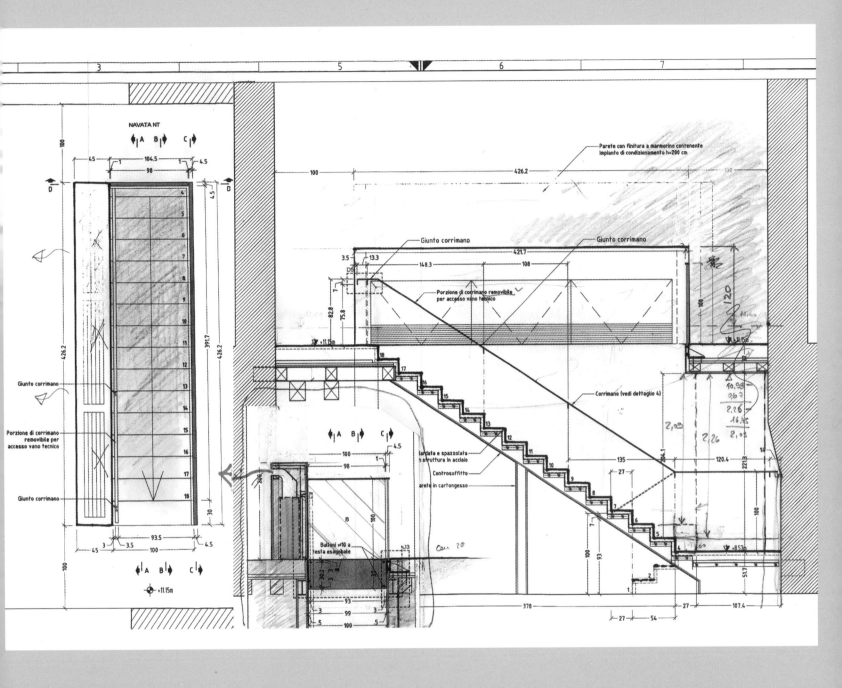

NAVATA NT

↨|A B|↨ C|↨

Giunto corrimano

Porzione di corrimano removibile per accesso vano tecnico

Giunto corrimano

↨|A B|↨ C|↨

⊕ +11.15m

Parete con finitura a marmorino contenente impianto di condizionamento h=200 cm

Giunto corrimano

Giunto corrimano

Porzione di corrimano removibile per accesso vano tecnico

Corrimano (vedi dettaglio 4)

▽ +11.15m

▽ +11.15m

Alzata e spazzolata con struttura in acciaio

Controsoffitto

Parete in cartongesso

Bulloni n°10 a testa esagonale

▽ +8.57m

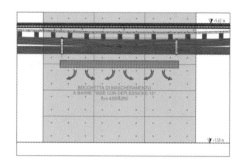

BOCCHETTA DI MASCHERAMENTO
A BARRE FISSE CON DEFLESSIONE 15°
fvm 4200x250

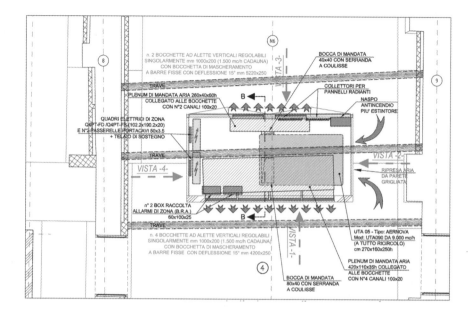

n. 2 BOCCHETTE AD ALETTE VERTICALI REGOLABILI
SINGOLARMENTE mm 1000x200 (1.500 mc/h CADAUNA)
CON BOCCHETTA DI MASCHERAMENTO
A BARRE FISSE CON DEFLESSIONE 15° mm 5220x250

BOCCA DI MANDATA
40x40 CON SERRANDA
A COULISSE

N6

8

TRAVE

PLENUM DI MANDATA ARIA 260x40x60h
COLLEGATO ALLE BOCCHETTE
CON N°2 CANALI 100x20

COLLETTORI PER
PANNELLI RADIANTI

NASPO
ANTINCENDIO
PIU' ESTINTORE

VISTA -3-

QUADRI ELETTRICI DI ZONA
Q4PT-FD /Q4PT-FS (102.2x190.2x20)
E N°2 PASSERELLE PORTACAVI 50x3.5
+ TELAIO DI SOSTEGNO

VISTA -4-

TRAVE

9

VISTA -2-

RIPRESA ARIA
DA PARETE
GRIGLIATA

n° 2 BOX RACCOLTA
ALLARMI DI ZONA (B.R.A.)
60x100x25

B

TRAVE

n. 4 BOCCHETTE AD ALETTE VERTICALI REGOLABILI
SINGOLARMENTE mm 1000x200 (1.500 mc/h CADAUNA)
CON BOCCHETTA DI MASCHERAMENTO
A BARRE FISSE CON DEFLESSIONE 15° mm 4200x250

UTA 05 - Tipo: AERNOVA
Mod: UTA090 DA 9.000 mc/h
(A TUTTO RICIRCOLO)
cm 270x160x250h

VISTA -1-

4

BOCCA DI MANDATA
80x40 CON SERRANDA
A COULISSE

PLENUM DI MANDATA ARIA
420x110x35h COLLEGATO
ALLE BOCCHETTE
CON N°4 CANALI 100x20

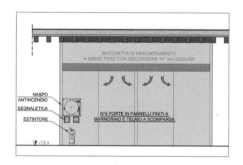

BOCCHETTA DI MASCHERAMENTO
A BARRE FISSE CON DEFLESSIONE 15° mm 5220x250

NASPO
ANTINCENDIO
SEGNALETICA

ESTINTORE

N°4 PORTE IN PANNELLI FINITI A
MARMORINO E TELAIO A SCOMPARSA

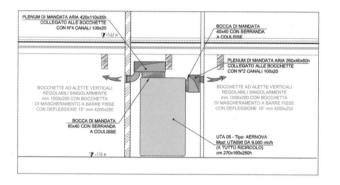

PLENUM DI MANDATA ARIA 420x110x35h
COLLEGATO ALLE BOCCHETTE
CON N°4 CANALI 100x20

BOCCA DI MANDATA
40x40 CON SERRANDA
A COULISSE

PLENUM DI MANDATA ARIA 260x40x60h
COLLEGATO ALLE BOCCHETTE
CON N°2 CANALI 100x20

BOCCHETTE AD ALETTE VERTICALI
REGOLABILI SINGOLARMENTE
mm 1000x200 CON BOCCHETTA
DI MASCHERAMENTO A BARRE FISSE
CON DEFLESSIONE 15° mm 4200x250

BOCCHETTE AD ALETTE VERTICALI
REGOLABILI SINGOLARMENTE
mm 1000x200 CON BOCCHETTA
DI MASCHERAMENTO A BARRE FISSE
CON DEFLESSIONE 15° mm 4200x250

BOCCA DI MANDATA
80x40 CON SERRANDA
A COULISSE

UTA 05 - Tipo: AERNOVA
Mod: UTA090 DA 9.000 mc/h
(A TUTTO RICIRCOLO)
cm 270x160x250h

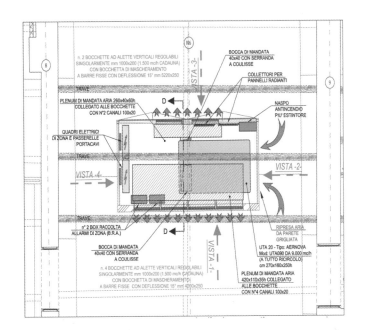

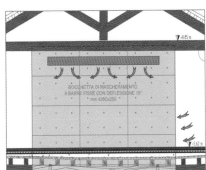

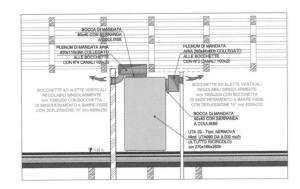

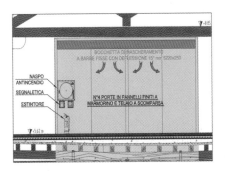

Aggiornamento 23 maggio 2008, vani tecnici per impianti tecnologici: piano terra e piano primo.

Update 23 May 2008, ducts and housings for cables, tubes and pipes: ground floor and first floor.

Mise à jour 23 mai 2008, locaux techniques pour les équipements technologiques: rez-de-chaussée et premier étage.

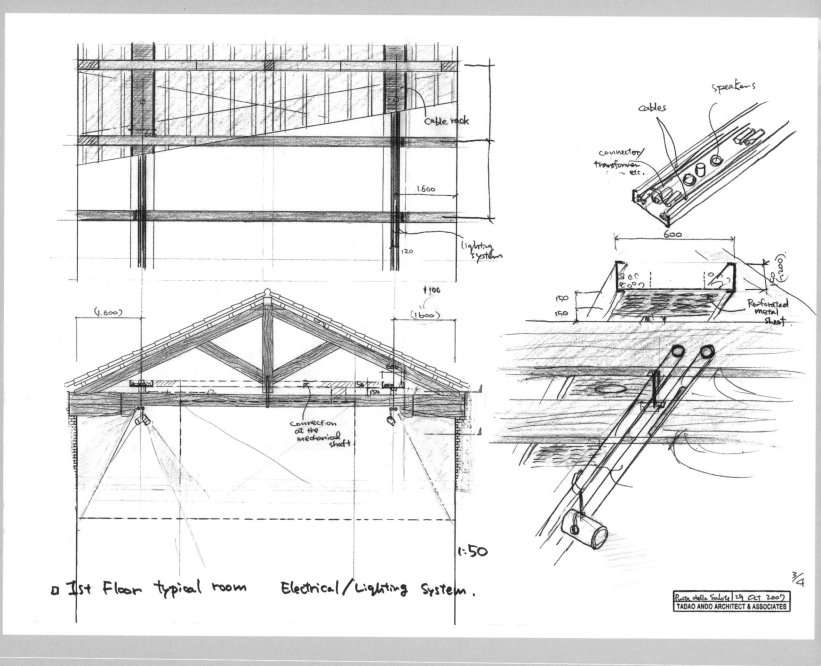

cable rack

1.600

120

lighting systems

(1.600)

(1.600)

+100

Connection at the mechanical shaft

1:50

speakers

cables

connector/ transformer etc.

600

150

150

150 (1200)

0

Reinforced metal sheet

□ 1st Floor typical room   Electrical/Lighting System.

³⁄₄

Punta della Salute | 29 Oct 2007
TADAO ANDO ARCHITECT & ASSOCIATES

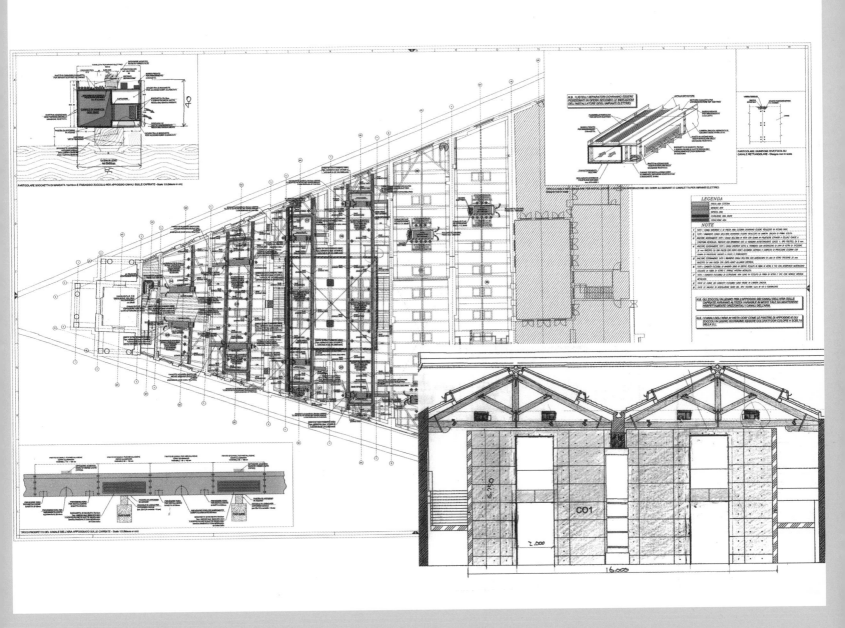

Tadao Ando, 29 ottobre 2007, pianta, sezione di dettaglio
e schizzi volumetrici dei vani tecnici per gli impianti
tecnologici.

Tadao Ando, 29 October 2007, plan, detail section
and volumetric sketches of the plant and services rooms.

Tadao Ando, 29 octobre 2007, plan, coupe de détail
et croquis volumétriques des espaces techniques pour
les équipements technologiques.

Tadao Ando, pianta, sezione sulla corte centrale
e dettagli con i vani tecnici per gli impianti tecnologici.

Tadao Ando, plan, section of the central courtyard
and details with the plant and services rooms.

Tadao Ando, plan, coupe sur la cour centrale et détails
avec les espaces techniques pour les équipements
technologiques.

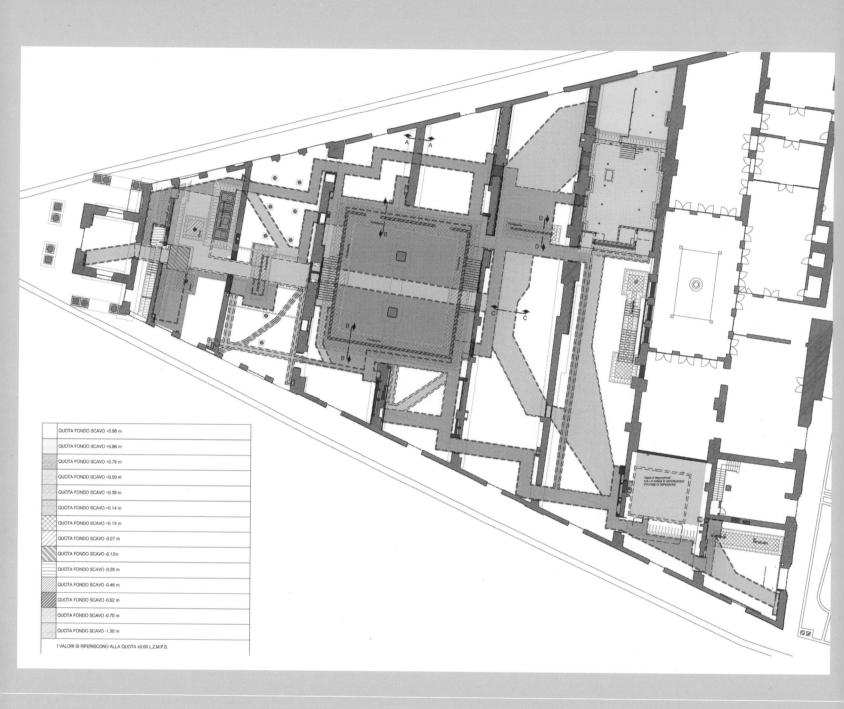

	QUOTA FONDO SCAVO +0.98 m
	QUOTA FONDO SCAVO +0.96 m
	QUOTA FONDO SCAVO +0.76 m
	QUOTA FONDO SCAVO +0.59 m
	QUOTA FONDO SCAVO +0.39 m
	QUOTA FONDO SCAVO +0.14 m
	QUOTA FONDO SCAVO +0.13 m
	QUOTA FONDO SCAVO -0.07 m
	QUOTA FONDO SCAVO -0.12m
	QUOTA FONDO SCAVO -0.26 m
	QUOTA FONDO SCAVO -0.46 m
	QUOTA FONDO SCAVO -0.62 m
	QUOTA FONDO SCAVO -0.70 m
	QUOTA FONDO SCAVO -1.30 m
	I VALORI SI RIFERISCONO ALLA QUOTA ±0.00 L.Z.M.P.S.

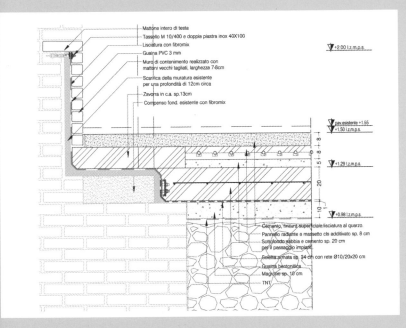

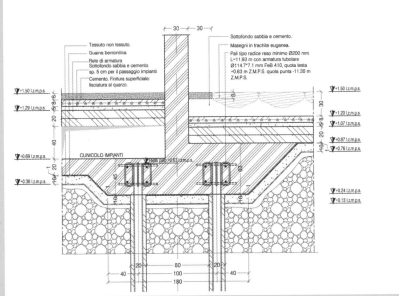

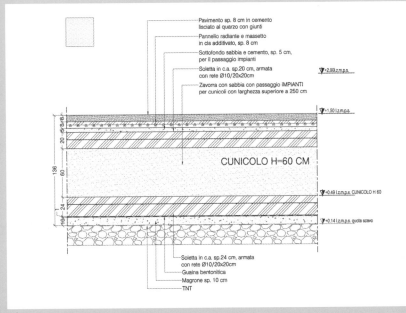

Aggiornamento 8 maggio 2008, pianta degli scavi.

Update 8 May 2008, plan of the excavations.

Mise à jour 8 mai 2008, plan des fouilles.

Aggiornamento 8 maggio 2008: sezione A-A, sezione B-B
e sezione dei pacchetti strutturali.

Update 8 May 2008: section A-A, section B-B and section
of structural layers.

Mise à jour 8 mai 2008: section A-A, section B-B
et section des paquets structurels.

Metal Panel

Metal Grill

Transparent Glass

Exterior Elevation

Interior Elevation

Punta Della Dogana   7 September 200
Scale = 1:30 (A3)   TADAO ANDO ARCHITECT & ASSOCIATES

Tadao Ando, 7 settembre 2007, schizzo di studio
per le grate dei serramenti esterni.
Tadao Ando, 7 September 2007, study sketch
of the grating over the external openings.
Tadao Ando, 7 septembre 2007, croquis d'étude
pour les grilles des fenêtres externes.

Tadao Ando, schizzo di studio dei dettagli relativi
alle grate dei serramenti esterni.
Tadao Ando, study sketch of the details of the grating
over the external openings.
Tadao Ando, croquis d'étude des détails relatifs
aux grilles des fenêtres externes.

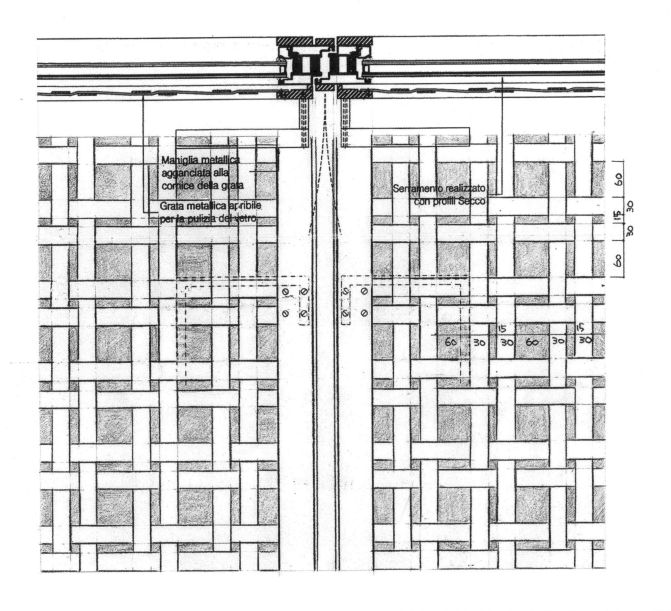

Maniglia metallica
agganciata alla
cornice della grata

Grata metallica apribile
per la pulizia del vetro

Serramento realizzato
con profili Secco

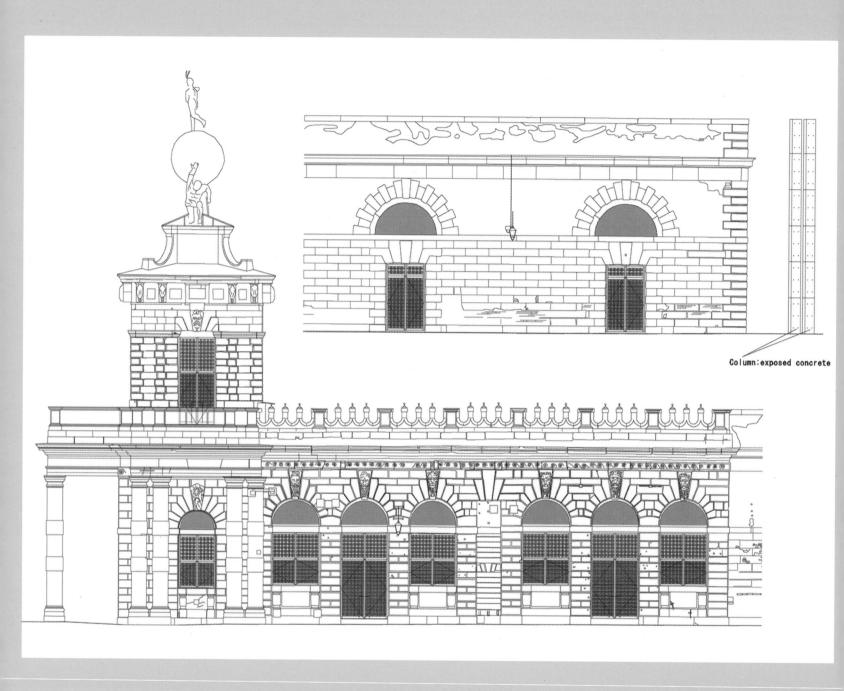

Column:exposed concrete

Tadao Ando, 7 settembre 2007, schizzo di studio
per i serramenti esterni della facciata sul Canal Grande.

Tadao Ando, 7 September 2007, study sketch of
the door- and window-frames in the Grand Canal façade.

Tadao Ando, 7 septembre 2007, croquis d'étude pour
les fenêtres externes sur la façade côté Grand Canal.

3 luglio 2008, abaco dei serramenti, stralcio.

3 July 2008, abacus of the door and window frames,
excerpt.

3 juillet 2008, abaque des fenêtres, extrait.

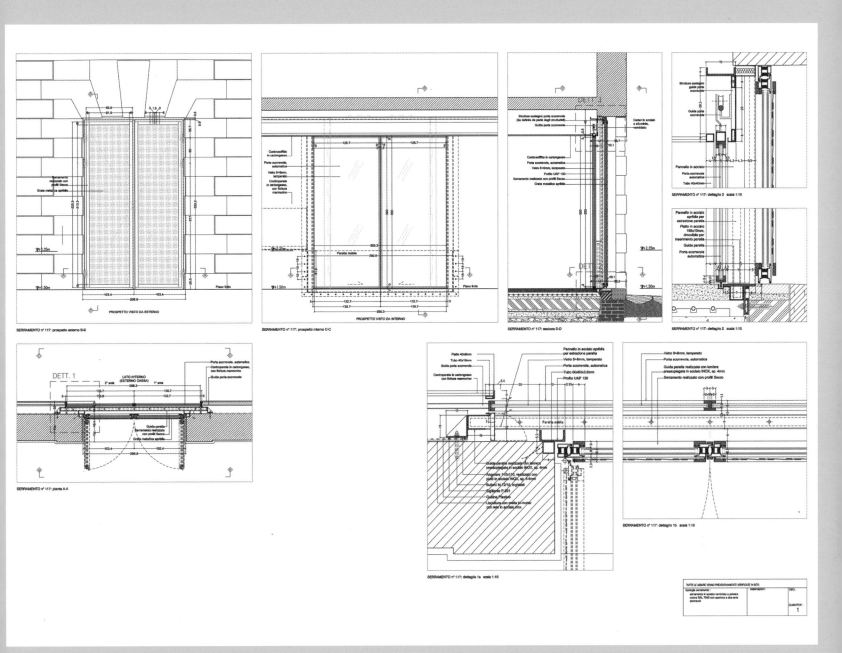

SERRAMENTO n° 117: prospetto esterno 9-8

SERRAMENTO n° 117: prospetto interno C-C

SERRAMENTO n° 117: sezione D-D

SERRAMENTO n° 117: dettaglio 3 scala 1:10

SERRAMENTO n° 117: dettaglio 2 scala 1:10

SERRAMENTO n° 117: pianta A-A

SERRAMENTO n° 117: dettaglio 1a scala 1:10

SERRAMENTO n° 117: dettaglio 1b scala 1:10

PUNTA DELLA DOGANA
IL CANTIERE

UGO
DE BERTI

SOTTO le sue immense capriate di legno sono tornati a risuonare i rumori di un tempo: il cigolare delle carrucole, lo scricchiolio delle funi tese, il tonfo dei sacchi ammassati sul pavimento. Orchestra di musica da lavoro, urla dei capi squadra, ritmo di passi stanchi che la sera, attraversando il campo della Salute, riprendono la via di casa. Per quasi otto secoli questi suoni hanno accompagnato l'operosa vita dei magazzini di Punta della Dogana, il porto monumentale della città di Venezia. Un edificio vivo, come un infinito cantiere, transito obbligato per milioni di tonnellate di merci provenienti dal mare e che, attraverso i portali in pietra d'Istria affacciati sul canale della Giudecca, venivano immagazzinati, sdoganati e ridistribuiti su caorline e gondole in attesa sul Canal Grande. Tra il dicembre del 2007 e il marzo del 2009, tanto sono durati i lavori di restauro e di realizzazione del nuovo Centro d'arte contemporanea progettato da Tadao Ando, il grande meccanismo logistico di Punta della Dogana, il senso stesso di questo edificio, si è rimesso in moto. Sono tornate ad attraccare alle sue fondamenta piccole e grandi imbarcazioni cariche di materiale. Agli scaricatori e ai manovali di un tempo si sono sostituiti centinaia fra tecnici, carpentieri, restauratori, architetti, falegnami, elettricisti e ingegneri. E le spezie e il sale che fecero ricca la Serenissima hanno lasciato spazio ad altra e oggi ben più preziosa merce: le opere d'arte della collezione Pinault.

È l'8 giugno 2007 quando tra il Comune di Venezia e Palazzo Grassi viene firmata la convenzione per il recupero dell'edificio e la realizzazione del nuovo museo. Indagini strutturali, studi storici e rilievi partono praticamente da zero. Troppi e troppo poco documentati gli interventi di restauro, ristrutturazione, consolidamento ma anche le aggiunte e le trasformazioni che si sono susseguiti nei secoli. La campagna di indagini condotta fin dai mesi estivi non tralascia nessun elemento artistico, architettonico e strutturale, ne data la realizzazione e ne definisce lo stato di conservazione. Mura, travi di legno, strutture portanti e divisorie sono testate dal punto di vista meccanico, le fondamenta sono mappate metro per metro. Malte, mattoni, intonaci e pietre sono sottoposti all'analisi chimica che ne rileva stato di degrado, umidità, presenza di sostanze organiche e vegetali. Viene mappata l'altissima concentrazione di sale alla base delle mura di laterizi, dovuta principalmente all'azione dell'acqua marina e forse, almeno in parte, dovuta alla presenza dei mucchi di sale proveniente da tutto il bacino adriatico.

I primi rilievi permettono a Tadao Ando di presentare la sua idea progettuale nel mese di settembre. La squadra dei progettisti italiani che si raccoglie intorno all'architetto giapponese è già rodata: si tratta di Eugenio Tranquilli, della Equilibri, con il ruolo di coordinatore, degli strutturisti Giandomenico e Luigi Cocco della Tecnobrevetti, e del responsabile della progettazione degli impianti e direttore dei lavori Adriano Lagrecacolonna. Tutti già coinvolti nel restauro di Palazzo Grassi e in parte nella realizzazione di Fabrica vicino a Treviso. Il *general contractor*, l'impresa che si occuperà della realizzazione dei lavori, viene scelta direttamente da François Pinault. È la Dottor Group, azienda trevigiana guidata da Pietro Dottor, anch'essa già coinvolta nel restauro di Palazzo Grassi e già protagonista in laguna di altri importanti interventi di recupero. L'allestimento del cantiere, che aprirà ufficialmente il 13 dicembre, è già di per sé la prima grande sfida di questo ambizioso progetto. Punta della Dogana è un edificio che ha caratteristiche uniche anche in una città come Venezia: l'edificio, che ha la forma di un triangolo isoscele, divide il Canal Grande e il canale della Giudecca e confina per l'80% del suo perimetro con la laguna. Una parte della sua base si affaccia sul campo della Salute, a più di 100 metri dal vertice. In questo fazzoletto di terra prospiciente la basilica, unica possibile area di cantiere su terraferma, c'è giusto lo spazio per gli uffici tecnici, gli spogliatoi del personale e una gru. L'altra gru dovrà essere posizionata direttamente nel canale della Giudecca, creando apposite fondamenta sotto il livello del mare. I teli bianchi, che avvolgono l'edificio celano un accantieramento lungamente progettato e realizzato nei minimi dettagli: 3600 metri quadrati di impalcature permettono di raggiungere ogni angolo di Punta della Dogana arrampicandosi fino oltre il livello della statua sommitale della Fortuna. Alcune piccole aree per il deposito delle merci vengono ricavate sopra la copertura e rinforzando un pontile che si trova sul lato Giudecca. Per il resto ci si affida alla programmazione dettagliata degli approvvigionamenti (nel corso del cantiere saranno effettuati oltre 2000 viaggi via mare, con una movimentazione stimata in più di 10.000 tonnellate di materiale) e a un cronoprogramma delle lavorazioni che scende al dettaglio giornaliero degli interventi. Un vero e proprio cantiere modello, con spogliatoi, docce, infermeria e una mensa da dove si gode di un panorama mozzafiato sull'isola della Giudecca e la chiesa di San Giorgio.

Il risultato delle indagini è puntualmente condiviso tra Soprintendenza, studio Ando e *general contractor*. Molti aspetti tecnici, progettuali e di conservazione dipendono infatti da questi dati.

Viene definita l'idea della realizzazione di una vasca di contenimento delle acque alte. E tutti gli interventi relativi al consolidamento strutturale di mura e fondamenta. Tra i progettisti italiani e Tadao Ando la corrispondenza è fitta. L'architetto giapponese invia i primi disegni a scala 1:200 che tracciano con precisione la sua idea architettonica ma che, dal punto di vista strettamente operativo, risulta solo un abbozzo. Il team dei progettisti italiani risponde con disegni prima 1:100, poi 1:50, necessari a scendere nel dettaglio dell'intervento tecnico. È un dialogo serrato, spesso condotto via fax con disegni a mano, note scritte a penna, appunti e riflessioni: di giorno in giorno si valutano le informazioni sullo stato di fatto dell'edificio, le indicazioni della Soprintendenza, i tempi di realizzazione e le metodologie di intervento. Le risposte dallo studio giapponese sono rapidissime. Grazie anche al fuso orario, il lavoro progettuale procede senza soluzione di continuità.

I primi interventi riguardano la demolizione delle superfetazioni e dei solai in cemento armato e lo smantellamento degli elementi architettonici novecenteschi. Dal porto di cantiere le imbarcazioni salpano cariche di nuovi materiali mentre gli antichi *masegni* vengono rimossi e numerati uno a uno (per la precisione sono 10.769) per essere nuovamente riposti in opera. La pietra del pavimento lascia posto al fango. E il fango lascia posto all'acqua che ora, con l'inizio degli scavi e l'abbassamento del livello del piano terra, fa capolino due volte al giorno con i cicli della marea.

Il lavoro archeologico procede parallelamente ai primi scavi. Centinaia di metri quadrati di sottosuolo vengono sondati, mappati e fotografati. Anche per una città da sempre votata all'archeologia come Venezia, l'opportunità di effettuare scavi così estesi, e in un edificio ben documentato dal punto di vista storico, è unica. Le ricerche permettono di ricostruire la complessa vita architettonica della *Dogana da Mar*, fin dai suoi albori nel 1313. Si scoprono le fondamenta originali, le tracce degli antichi cantieri del Seicento, quando Punta della Dogana, grazie agli importanti lavori di rifacimento del Benoni, prese le sembianze che possiamo ammirare

oggi. Gli scavi portano alla luce ampie zone quattrocentesche di pavimento di *antinelle* posate a spina di pesce. Alcune di queste zone risultano più basse di altre proprio per via dei pesanti carichi a cui erano sottoposte. Molti reperti di ceramica svelano l'esistenza di una fornace attiva fino al XIII secolo, là dove ora sorge la navata n. 7. Dalla fanghiglia riemerge anche la pala di un timone di legno databile, secondo le prime analisi, al XIII secolo.

Tra marzo e aprile 2008, quando l'edificio è spolpato di tutti gli elementi architettonici moderni, incomincia a farsi percepire il volume originario dei magazzini della Dogana, con le sue navate sorrette dalle immense pareti divisorie di mattoni rossi. Rimangono evidenti le ferite inferte negli anni, dovute al continuo cambiamento d'uso degli spazi, suddivisi e parcellizzati tra associazioni e istituzioni veneziane. Tra varie destinazioni d'uso, solo per citarne alcune, fu deposito delle Gallerie dell'Accademia, sede di una società di canottaggio e parte del nuovo Seminario minore. Rimane dunque il segno delle pareti divisorie, le bucature ricavate nei muri e nei solai, l'impronta di scale di ferro, finestre e botole, che avevano contribuito a stravolgere l'originale senso trasversale dell'edificio.

Alcune importanti decisioni progettuali vengono prese tra febbraio e marzo 2008, con due appuntamenti a Venezia. Nelle navate n. 4 e n. 5, tra impalcature, fango e operai al lavoro, si preparano alcuni metri quadrati di pavimento di *masegni* e di cemento. Si mettono in mostra i modelli di lucernari e i futuri infissi, si rifinisce una porzione di soppalco e si installano gli impianti tecnologici e di illuminazione. Ando e Pinault si incontrano con il gruppo di progettazione italiano per discutere ogni dettaglio delle finiture, si valuta dal vero l'accostamento tra il nuovo e l'esistente, la funzionalità degli spazi rispetto alla nuova destinazione museale. Ando si rivela estremamente attento alla conservazione dell'edificio, alle indicazioni della Soprintendenza e ai suggerimenti dei progettisti italiani. La grande sfida, per tutti, è quella di trovare il migliore compromesso tra la perfezione formale delle architetture di Ando e i dissesti della vecchia e affascinante Punta della Dogana, con i suoi muri panciuti, i solai e i pavimenti a quote diverse, e porte e vani di dimensioni mai uguali. Su tutte le scelte di Ando prevale la semplicità, la sottrazione, la priorità del vecchio edificio sul nuovo. Il vetro, il cemento, il metallo si appoggiano con rispetto ai laterizi secolari dell'edificio, al legno, alle malte e agli intonaci originali. Dove questi sono rovinati, o mancanti o semplicemente corrosi dal tempo, la mano dell'architetto giapponese non calca, non copre, non aggiusta. Ne segue anzi la traccia, ripercorrendone la memoria storica e la vicenda costruttiva.

La realizzazione della vasca di contenimento delle acque procede con la massima priorità nel corso della primavera. Si tratta di un vero e proprio scafo di cemento armato realizzato sotto il pavimento dell'edificio, capace di garantire la totale impermeabilizzazione fino ad alte maree di oltre 2 metri, un valore superiore alla storica acqua alta del 1966. Paratie mobili, posizionate sui portali, e una barriera orizzontale che risale lungo la base delle pareti, vari livelli di cemento e una guaina impermeabilizzante permettono di mantenere il pavimento al riparo da acqua e umidità. La vasca di contenimento è anche la sede dei cunicoli tecnologici che corrono sotto l'edificio distribuendo impianti elettrici, idraulici, telematici e un sistema di riscaldamento a pavimento. Il passaggio degli impianti dal piano inferiore a quello superiore verrà risolto con l'ideazione di tre armadi tecnologici posizionati nelle navate n. 3, n. 6 e n. 7, coperti da altrettante porzioni di muri in cemento poiché le regole della conservazione impediscono di incidere i muri perimetrali o trasversali di Punta della Dogana.

Alle pareti di mattoni a vista è riservato un trattamento ben più delicato. Si tratta della tecnica detta «scuci e cuci», che consiste nel sostituire i mattoni danneggiati uno a uno, con il grande vantaggio di poter intervenire chirurgicamente nelle aree interessate dal degrado. Per questo delicato intervento, che interesserà poco più del 10% dei 5000 metri quadrati di pareti esistenti, vengono riutilizzati mattoni originali, oppure vengono impiegati mattoni antichi o dalle analoghe caratteristiche fisiche e cromatiche e create malte con una composizione chimica simile all'originale. Ancora più complessi sono gli interventi sulle pareti esterne dell'edificio, la pelle monumentale di Punta della Dogana. Le squadre di restauratori intervengono sugli elementi artistici e strutturali di pietra con il consolidamento attraverso barre in acciaio inox e microiniezioni di malta e calce per eliminare ogni spazio vuoto o distacco interno. Il bugnato della facciata, costituito da elementi in muratura intonacati, viene invece recuperato con trattamenti biocidi e un capillare intervento di recupero strutturale e di consolidamento. Intonaci che verranno rifatti solo nelle porzioni di muro dove la bugna di mattoni è integra, limitandosi a un semplice intervento di pulitura per le porzioni di muro più compromesse.

Durante i caldi mesi estivi si procede con il restauro completo della copertura. Si calcola che quasi 9000 metri quadrati di superficie lignea, compresa quella dei solai, sarà oggetto di un trattamento anti tarme, di sabbiatura e di consolidamento. Le capriate che costituiscono l'ossatura del tetto sono 130. Ognuna di esse verrà smontata, riconsolidata e riposizionata in sede. Oppure sostituita a seconda del livello di degrado. Oltre la metà delle tegole originali (circa 45.000), saranno recuperate e riposizionate, così come 50.000 tavelle su 80.000.

Negli stessi mesi le squadre di operai della Dottor Group si trovano ad affrontare una delle sfide più complesse di questo intervento. Si tratta della realizzazione del cosiddetto «cubo Ando», progettato al centro del grande ambiente comune alle navate n. 4 e n. 5. Cifra stilistica dell'architetto giapponese, i muri sono pareti di cemento armato con faccia a vista, realizzati con una raffinata tecnica di carpenteria che permette di ottenere superfici lisce e lucenti come seta. Nel caso di Punta della Dogana, si tratta di un quadrato con pareti alte 7,11 metri, larghe 16 metri e spesse 30 centimetri. Un intervento unico al mondo considerando sia i limiti logistici imposti dall'ambiente in cui l'intervento viene realizzato, sia perché nessuno aveva mai eretto «muri Ando» di questa altezza con un singolo getto. Il calcestruzzo, non potendo essere preparato sul posto, deve essere trasportato dalle betoniere per decine di chilometri via terra e via acqua fino alle fondamenta di Punta della Dogana. Sono quindi stati condotti test e simulazioni sulla terraferma per definire il particolare mix di calcestruzzo e del necessario prodotto ritardante per fissare i tempi massimi di utilizzo e verificarne la qualità. Anche la realizzazione del cassero, ovvero il contenitore di legno dove viene gettato il cemento, necessita di una precisione millimetrica. Si decide quindi che l'assemblaggio dei pannelli di 90 x 180 centimetri, lo standard modulare dei «muri Ando», e l'assemblaggio dei perni per la realizzazione dei classici fori, avvenga direttamente in cantiere. La fase di pompaggio del calcestruzzo si rivela la più critica: una chiatta ancorata a Punta della Dogana, nel cuore della laguna, subisce inevitabilmente il moto ondoso provocato da altre imbarcazioni. Utilizzando pompe con un braccio fino a 56 metri di lunghezza, anche pochi centimetri di oscillazione in acqua si sono trasforma-

ti in ondulazioni del braccio della pompa di alcuni metri. Da qui la scelta di eseguire i getti all'alba oppure a notte fonda, quando il moto ondoso è limitato.

La conclusione della realizzazione del «cubo Ando», segna un'importante svolta nei lavori di cantiere, dando il via, almeno in alcune parti dell'edificio, a quella lunga fase di completamento delle finiture architettoniche: la posa e la lucidatura dei pavimenti di cemento, la posa del linoleum per i pavimenti dei soppalchi, il montaggio di infissi e finestre, l'allestimento dell'impianto di illuminazione, videosorveglianza e condizionamento (contenuti in un'unica canalina tecnologica mimetizzata tra le capriate) e tutti gli elementi di servizio del futuro museo. Ma l'intervento di restauro non è ancora concluso: con l'inizio del cantiere, la statua della Fortuna, vecchia di quattro secoli, ha smesso di segnare la direzione del vento. Essa viene liberata dalle impalcature negli ultimi mesi del cantiere, ma solo per essere deposta a terra per le necessarie operazioni di restauro. La struttura metallica interna e il meccanismo che permette la rotazione della statua subiscono interventi di recupero attraverso tecniche tradizionali. Il rame delle statue è ripulito e ricucito, la doratura del globo completamente restaurata. È l'ultimo intervento del cantiere e la Fortuna torna a rincorrere il vento nel marzo del 2008.

PUNTA DELLA DOGANA
WORK ON SITE

UGO DE BERTI

THE SPACES under the immense wooden truss roof echoed once more with the sounds of long ago: the squeaking of pulleys, the tense hum of cables, the dull thud of sacks being piled on the floor. The orchestration was provided by the shouts of foremen; and every evening this concert of labour would conclude with the fading sounds of tired footsteps, as workmen made their way home across Campo della Salute. For almost eight centuries, this had been the soundtrack accompanying the busy life of the warehouses at the Punta della Dogana, a monumental gateway to the port and city of Venice. During all that time, this building had been a living entity, handling the millions of tons of goods which arrived in Venice by sea: having passed through the Istrian-stone portals giving on to the Giudecca Canal, goods were cleared through customs before being either stored or carried straight onto the gondolas and barges waiting on the Grand Canal side of the building. Now, the Punta della Dogana was once again the centre of a massive logistics operation. A Centre of contemporary art, designed by Tadao Ando, was to be created here, and from December 2007 to March 2009 restoration and building work pressed on apace. Once again, large and small craft anchored at the waterfronts alongside to offload materials. But the stevedores and labourers of the past were now replaced by hundreds of technicians, joiners, restorers, architects, carpenters, electricians and engineers. And the place of the salt and spices that had once made Venice so rich was now to be taken by different, even more precious, merchandise: the works of art from the Pinault collection.

Venice City Council and Palazzo Grassi had, on 8 June 2008, signed the final agreement for the restoration of the building and the installation of the new museum. Structural and historical studies and surveys got underway immediately, practically from scratch. There was, in fact, little documentary evidence regarding the numerous changes to the building over the centuries: not only work of restoration and consolidation, but also conversion and extension. Throughout that summer an intensive campaign of studies and surveys covered every artistic, architectural and structural aspect of the building, producing data that gave a definite picture of its state of preservation. Walls, wooden beams, partitions and weight-bearing structures – all were tested to establish their mechanical soundness; and the foundations were mapped metre by metre. Cements, bricks, stones and plasterwork were subjected a chemical analysis to identify their state of preservation and establish their degree of exposure to humidity and organic substances. A precise chart was drawn up of the high concentration of salt within the lower levels of the brick walls – a concentration that was primarily due to the action of sea water, but may in part have been due to the fact that the building had once stored salt from all over the Adriatic.

The first studies made it possible for Tadao Ando to present the initial draft of his design ideas in September. The group of Italian architects and engineers that would work alongside him already formed a tried and trusted team. It comprised: Eugenio Tranquilli, of Equilibri, who would work as project coordinator; the structural engineers Giandomenico and Luigi Cocco (both of Tecnobrevetti); and Adriano Lagrecacolonna, director of works and responsible for plant and installation design. These were all men who had already worked on the restoration of Palazzo Grassi and – at least in part – on the creation of the Benetton Fabrica near Treviso. The general contracting company which would be responsible for carrying out the work was chosen directly by François Pinault himself. It was to be the Dottor Group, a Treviso company headed by Pietro Dottor, which had already been involved in the Palazzo Grassi restoration and had worked on various important reconversion projects in Venice. The first great challenge posed by this ambitious project was the setting up of the worksite itself, which officially opened on 13 December. Even in a city such as Venice, the Punta della Dogana warehouses form a unique complex: an isosceles triangle wedged between the Grand Canal and the Giudecca Canal, the structure is bound for 80% of its perimeter by water. Part of the «base» of the triangle gives directly onto Campo della Salute, which lies more than 100 metres from the apex. So, the tiny area giving directly onto the Basilica was the only possible choice for a land-based worksite – and it was here that the contractors installed technical offices, changing-rooms and a crane; the other crane would have to be positioned in the Giudecca Canal on a specially-created foundation sunk below the water level. The white fabric hoarding that now covered the building concealed a worksite whose least detail had been painstakingly planned and prepared. 3,600 square metres of scaffolding gave access to every single corner of the Punta della Dogana, from ground level right up to the statue of Fortune that crowned the building. Small areas for the storage of materials were created within the roofed structure and on a specially-reinforced pontoon on the Giudecca side of the building. For those supplies not stored on-site there was a detailed timetable of deliveries – during the course of the work more than 2000 boat runs would move something like 10,000 tons of material – and every detail of each day's work was timed to a very precise schedule. In effect, this was a model worksite, complete with changing-rooms, showers, infirmary – and a canteen which offered breath-taking views of the island of the Giudecca and the church of San Giorgio Maggiore.

The results of the initial on-site surveys were quickly supplied to the *Soprintendenza* responsible for Venice's historic buildings, to the general contractor and to Ando's studio, with this data being decisive in determining various technical details of the restoration and conversion work.

At this stage, the form and type of the basin protecting the structure from high water was decided, as were all the projects of structural intervention to consolidate the walls and foundations. Tadao Ando and the Italian team were in constant contact. The Japanese architect sent his first drawings, to a scale of 1:200; these gave a precise account of the architectural design as a whole but could only be considered as sketch working plans. The Italian team responded with a whole series of drawings – first to a scale of 1:100, then 1:50 – which covered every detail of the technical work involved. The dialogue was constant, often with hand-jotted drawings, notes and ideas being sent back and forth via fax. Every day account had to be taken of: the latest information regarding the current state of the building; the requirements put forward by the *Soprintendenza*; the time and methods that would be needed to carry out specific work. However, responses from the Japanese architect's studio were always prompt in arriving. Indeed, thanks to the differences in time zone, the design work can be said to have gone forward 24/7.

The first actual intervention on the fabric of the building involved the demolition of the accretions and the floors in reinforced concrete that had been added in the twentieth century. From the worksite gates, boats would carry off this rubble, whilst the old *masegni* were carefully removed and numbered for reinstallation later. (As a point of interest, there were 10,769 of them). Once stripped of these stones, the floor became a surface of exposed mud. Then, when excavations within this mud started, the change in tides meant that the ground level was flooded twice a day.

This first excavation work was accompanied by detailed archaeological work, with hundreds of square metres of ground being surveyed, charted and photographed. Even for a city like Venice, which has always been attentive to archaeological remains, this was a unique opportunity: extensive excavation within a building whose role and history is so well documented. The research would cast a great deal of light on the complex architectural history of the Maritime Customs House, dating right back to their origins in 1313. The original foundations were discovered, as were traces of the seventeenth-century worksites set up when Benoni's substantial refurbishment of the building gave it the appearance we can admire today. The excavations also unearthed ample areas of fifteenth-century herring-bone pattern *antinelle* pavement. Some of these areas were sunk lower than others, due to the heavy weight of goods than had been stored there. Furthermore, abundant ceramic remains revealed the existence of a kiln (located in the present aisle 7 of the structure), which was active right up to the thirteenth century. And another find within the mud was the post of wooden rudder, which first analysis suggests dates from the thirteenth century.

By March-April 2008, when the building had been stripped of all the modern accretions, one began to get some idea of the original interior of the Dogana warehouses, with the parallel aisles divided by immense partition walls of red brick. One could also see the damage done to the structure over time, as various Venetian institutions had cut up and divided the interior to suit their own purposes; over the years, the building has served, amongst other things, as storage space for the Accademia Galleries, as a boat house for a Venetian rowing club and as premises for part of a seminary. Throughout the fabric one could see traces of the partitions walls and floors, the metal staircases, the windows and hatches, which had been created as these various users of the building divided up its original format of aligned transverse spaces.

At two meetings in Venice, various important decisions were taken in February and March 2008. For these occasions, while the rest of the site was still a place of mud and scaffolding, a few square metres of *masegni* flooring and cement were created in aisles 4 and 5. The point of the exercise was to try out various models of skylight, door/window frames, and lighting, and to see what a finished portion of the raised first floor would look like. Ando and Pinault met with the Italian project team to discuss each detail of the refurbishment; the juxtaposition of the new and the old was assessed, as was the degree to which the finished area met the functional requirements of exhibition space. Particularly attentive to the need to conserve the existing building, Ando showed himself responsive to both the observations put forward by the *Soprintendenza* and the suggestions made by the Italian team. The great challenge for all those involved was to find the best possible compromise between the formal perfection of Ando's architecture and the far from formal precision of the fascinating old building, where walls bulged, floor levels were never uniform and no two doorways or rooms were ever the same size. All of Ando's decisions and choices were predicated upon simplicity and upon removal of the unnecessary; the old building took priority over new additions. Glass, cement and metal would show full respect for their setting within centuries-old brick. As far as possible, the original wood, cements and plaster-work would be maintained. And where these had been totally destroyed or damaged by the passage of time, the Japanese architect would not try to conceal or patch up defects; he would take his lead from the structural history of the building itself.

During the spring, work focused primarily upon the creation of the containment basin for the entire structure. A veritable hull in reinforced concrete, this would lie under the floor of the building and guarantee it against high water of up to and beyond 2 metres (that is, even higher than the disastrous flood of 1966). Further protection against water and humidity was to be provided by movable barriers at the doorways and the installation of a barrier of waterproof sheathing and concrete raised to various levels along the base of the walls. The containment basin was also used to house ducts and conduits for electrical cables, water pipes, computer wiring and heating – all located under the floor. From the ground floor to the first floor, these would run within three technological service «housings» located in aisles 3, 6 and 7, each of them enclosed within sections of cement wall. (Conservation regulations forbade cutting into the original perimeter and division walls in brick).

The walls of exposed brick were the object of more painstaking treatment, with each of the damaged bricks being replaced one by one; this had the great advantage of allowing surgical precision in the work on areas that had suffered the most serious decay. Involving just over 10% of the 5,000 square metres of the existing walls, this delicate operation involved either the re-use of the original bricks, the application of old bricks from elsewhere, or resort to bricks of similar colour and physical characteristics; the mortar used was also similar in chemical composition to that in the original walls. Work on the outside walls was even more complex. Here, teams of restorers had to work on both the structural and decorative components in stone, consolidating them with the insertion of stainless steel rods and injections of mortar and lime to eliminate internal gaps or spaces. The rustication of the outside façade, which is not stone but plaster-covered brickwork, first required treatment with substances to kill biological agents; thereafter came painstakingly detailed work of structural restoration and consolidation. The plasterwork was replaced only in those portions of the walls where the brick «rustication» was intact; in the more compromised areas of wall, the work was restricted to simple cleaning.

During the hot summer months, work progressed on the entire restoration of the roofing. It had been calculated that almost 9,000 square metres of wooden surfaces (including floors) would have to be treated against woodworm, then sanded down and reinforced. The framework of the roof itself comprises some 130 truss beams. Each one of these had to be dismantled, restored and then put back in position; those most seriously decayed had to be replaced completely. Half the original roof tiles (around 45,000) were recycled for use in the new roofing, as were some 50,000 of the 80,000 perforated blocks.

During this time, the workmen of the Dottor Group had to tackle the most complex challenge posed by the entire project: the creation of the so-called «Ando cube» that was to stand at the centre of the large open space formed by aisles 4 and 5. Made of bare cast concrete – whose smooth, silk-like finish has become a veritable leitmotif of Ando's work – this Punta della Dogana cube was to comprise walls some 7.11 metres high, 16 metres wide and 30 centimetres thick. The whole project was unique, however, for two main reasons: the logistical challenges posed by the nature of the site and the fact that such «Ando walls» of this height had never before been created in a single casting. Given that the cement could not be prepared on site, it had to be transported – via land and water – over dozens of kilometres to the Punta della Dogana quayside. This meant that various tests and simulations were carried out on the mainland to establish the right mix of concrete and delaying agent, so as to establish maximum working-time and guarantee quality of finish. Similarly, the shuttering into which the concrete was to be cast had to be carpentered to fine precision. It was decided therefore that the panels – measuring 90 by 180 centimetres (the standard module of an «Ando wall») – would be assembled directly on site, with the pivots used to make the classic openings. As for the actual casting of the concrete, this proved to be an even more critical phase. The concrete hoppers were located on a raft anchored at Punta della Dogana, and therefore inevitably exposed to the wave motion caused by the other boats passing through this busy part of the lagoon. With a feed arm some 56 metres long, even just a few centimetres of oscillation in that floating platform would become magnified to shifts of several metres. Hence, the decision to do the casting either at the dead of night or at dawn, when there was least traffic in the area.

The completion of the «Ando cube» marked an important turning-point in the work on site. Thereafter, in at least some parts of the building, work could start on the finishing touches: the laying and polishing of the concrete floor and of the linoleum used on the upper floors; the assembly of window frames and fixtures; the installation of lighting, video-surveillance and air conditioning (all contained in a single duct «disguised» within the roof trusses) and the completion of the other service facilities for the future museum. However, the restoration work was not yet complete. Ever since the beginning of work on the structure, the statue of Fortune which for four centuries had indicated the direction of the wind had ceased to perform its age-old function. Now, in the last months of work, the scaffolding around it was dismantled, for the statue itself to be brought down to ground level for necessary restoration work. Traditional techniques were used to restore the internal metallic structure and the mechanism which allowed the figure to rotate; then the copper of the statue was cleaned and the surface repaired. After the gilding of globe on which it stands was thoroughly restored, the figure was set back in place. And thus this last phase of work on Punta della Dogana was completed in March 2009, leaving Fortune once more free to blow in the wind.

PUNTA
DELLA
DOGANA
LE CHANTIER

UGO
DE BERTI

SOUS ses immenses charpentes de bois ont résonné de nouveaux les échos de jadis: le grincement des treuils, le craquement des cordes qui se tendent, le bruit sourd des sacs entassés sur le sol. Une symphonie d'outils de travail scandée par les cris des chefs d'équipe puis par le rythme lent des pas fatigués qui, le soir, traversent le Campo della Salute pour reprendre le chemin de la maison. Pendant presque huit siècles, ces sons ont accompagné la vie ouvrière des entrepôts de Punta della Dogana, le port monumental de la ville de Venise. Un édifice vivant, sans cesse en chantier, passage obligé de tonnes de marchandises provenant de la mer qui, après avoir traversé les portails en pierre d'Istria, du côté du canal de la Giudecca, étaient entreposées, dédouanées et enfin redistribuées sur des barques et des gondoles positionnées le long du Grand Canal. Entre le mois de décembre 2007 et le mois de mars 2009, pendant la période de restauration et de réalisation du nouveau Centre d'art contemporain élaboré par Tadao Ando, le grand mécanisme logistique de Punta della Dogana, par nature essentiel pour cet édifice, s'est remis en marche. Des petites et grandes embarcations chargées de matériel se sont de nouveau amarrées le long de ses rives. Aux ouvriers et aux manœuvres de jadis se sont substitués une centaine de techniciens, charpentiers, restaurateurs, architectes, menuisiers, électriciens et ingénieurs. Le sel et les épices qui firent la richesse de la Sérénissime ont laissé place à un nouveau type de marchandises aujourd'hui autrement plus précieux, les œuvres d'art de la collection François Pinault.

Le 8 juin 2007, la mairie de Venise et Palazzo Grassi signent ensemble une convention pour la réhabilitation du bâtiment et la réalisation du nouveau musée. Toutes les études structurelles, les recherches historiques et les reliefs partent pratiquement de zéro. Trop d'actions de rénovation, de restructuration, de consolidation ou tout simplement d'ajouts et de transformations, la plupart peu documentées, se sont succédées au fil des siècles. Toutes les enquêtes conduites depuis l'été n'ont pas omis le moindre détail artistique, architectural et structurel et ont permis, pour chacun d'eux, d'en définir la date de réalisation et l'état de conservation. Murs d'enceinte, poutres de bois, murs porteurs et cloisons sont testés, un à un, d'un point de vue mécanique pendant que les fondations sont cartographiées mètre après mètre. Ciment, briques, enduits et pierres sont soumis à des analyses chimiques qui en relèvent l'état de dégradation, le taux d'humidité, la présence de substances organiques et végétales. La très haute concentration de sel à la base des murs, principalement due à l'action de l'eau de mer et en partie à la présence d'amas de sel provenant du bassin adriatique, est minutieusement analysée.

Les premiers comptes-rendus permettent à Tadao Ando de présenter son projet au mois de septembre. L'équipe italienne qui entoure l'architecte japonais est déjà rodée: il s'agit d'Eugenio Tranquilli, d'Equilibri, coordinateur du projet, des ingénieurs Giandomenico et Luigi Cocco de Tecnobrevetti et du responsable de la conception des installations techniques et directeur des travaux Adriano Lagrecacolonna. Tous ont déjà participé à la restauration de Palazzo Grassi et en partie à la réalisation de Fabrica à Trévise. L'entreprise qui s'occupe de la mise en œuvre des travaux est choisie par François Pinault lui-même. Il s'agit de Dottor Group, provenant de la ville voisine de Trévise et dirigée par Pietro Dottor, ayant également pris part aux travaux de rénovation de Palazzo Grassi en 2005 et à d'autres importants travaux de réhabilitation dans la lagune. La préparation du chantier, qui commence officiellement le 13 décembre, constitue déjà en soi le premier grand défi de cet ambitieux projet. Punta della Dogana est un édifice aux caractéristiques uniques, au cœur d'une ville qui l'est tout autant: elle forme un triangle isocèle, dont 80% du périmètre est baigné par l'eau de la lagune, qui sépare le canal de la Giudecca du Grand Canal. A plus de 100 mètres de son sommet, une partie de sa base fait face au Campo della Salute, mouchoir de terre dominé par la basilique, qui constitue la seule aire de chantier possible sur la terre ferme, sur lequel il y a tout juste la place pour les bureaux techniques, les vestiaires du personnel et une grue. La seconde grue a du être positionnée à même le canal de la Giudecca, au-dessus de fondations creusées à cet effet sous le niveau de la mer. Les bâches blanches qui enveloppent le bâtiment dissimulent un chantier longuement étudié et pensé dans ses moindres détails: 3600 mètres carrés d'échafaudages permettent d'atteindre chaque recoin de Punta della Dogana jusqu'à son sommet, au dessus de la statue de la Fortune. Quelques petits espaces au niveau de la toiture sont réquisitionnés pour le dépôt des marchandises afin de venir en renfort du ponton placé sur la rive de la Giudecca. Le reste suit une planification détaillée d'approvisionnements (au cours des travaux, plus de 2000 transports par voie maritime seront effectués, avec un va-et-vient de plus de 10.000 tonnes de matériel) et un chrono-programme quotidien précis des travaux. C'est un véritable chantier modèle qui a vu le jour, muni de vestiaires, d'une infirmerie et d'une cantine pour le personnel bénéficiant d'une vue à couper le souffle sur l'île de la Giudecca et l'église de San Giorgio Maggiore.

Le résultat des différentes analyses est régulièrement partagé entre la Surintendance, l'agence Ando et Dottor Group. En dépendent de nombreux aspects techniques, de conception et de restauration du bâtiment. La réalisation d'une cuve permettant de contenir l'eau provenant des hautes marées est tout d'abord décidée, ainsi que toutes les interventions relatives à la consolidation structurelle des murs d'enceinte et des fondations. Entre les équipes italiennes et Tadao Ando, la communication n'est cependant pas toujours évidente. L'architecte japonais envoie ses premiers croquis à échelle 1:200 qui tracent avec précision son projet mais qui d'un point de vue strictement opérationnel ne s'avère être qu'une ébauche. Les ingénieurs italiens répondent alors en envoyant des dessins techniques à échelle 1:100 puis 1:50, nécessaires à l'élaboration détaillées des interventions techniques. C'est un dialogue extrêmement intense, souvent échangé via fax, avec des dessins réalisés à la main, des notes griffonnées au crayon, des commentaires et des réflexions: chaque jour, les informations sur l'état de fait du bâtiment et les indications de la Surintendance se mesurent avec un peu plus de précision permettant ainsi de déterminer délais de réalisation et méthodologie d'intervention. Les réponses de l'agence nippone se font très rapides. Grâce également au décalage horaire, le travail de conception suit son cours rapidement. Les premières interventions concernent la démolition des entresols de béton armé et l'abattement de tous les éléments architecturaux ajoutés au cours du XXème siècle. Du port du chantier, des embarcations lèvent l'ancre avec à bord des matériaux modernes tandis que des *masegni* d'époque sont déchargés puis dénombrés (ils sont au total 10.769) pour être ensuite réinstallés à l'intérieur de l'édifice. Les pierres du sol, une fois démontées, laissent place à de la boue. La boue à son tour laisse place à l'eau qui s'infiltre deux fois par jour, suivant le cycle des marées, profitant des travaux d'excavation et d'abaissement du niveau du rez-de-chaussée. Parallèlement à ces derniers ont lieu les fouilles archéologiques: des centaines de mètres carrés de sous-sol sont

sondés, cartographiés et photographiés. Même pour une ville depuis toujours dévouée à l'archéologie, il s'agit là d'une occasion unique d'entreprendre des recherches sous-terraines à ce point étendues, dans un endroit aussi riche d'un point de vue historique. Elles permettront de reconstruire le destin architectural de la Douane de Mer depuis sa naissance en 1313. Ses fondations d'origine ont été retrouvées ainsi que les traces d'anciens chantiers du XVIIème siècle, quand Punta della Dogana revêtit l'apparence que nous pouvons aujourd'hui admirer, suite aux importants travaux de ravalement que fit Benoni. Les fouilles ont aussi révéler l'existence de vastes zones au sol datant du XVème siècle disposées en arête de poisson. Certaines de ces zones sont aujourd'hui plus basses en raison des lourds chargements auxquelles elles étaient soumises. De nombreuses pièces de céramiques attestent, elles, de la présence d'un four actif jusqu'au XIIIème siècle, là où aujourd'hui se dresse la nef n. 7. De la vase a aussi émergé l'aile d'un gouvernail datable, d'après les premières analyses, du XIIIème siècle.

Entre mars et avril 2008, quand l'édifice est nettoyé de tous ses éléments architecturaux modernes, les volumes originels des entrepôts de la Douane deviennent enfin perceptibles, en particulier ses nefs séparées par d'immenses murs de briques rouges. Les dommages dus aux changements successifs d'utilisation des espaces, subdivisés et parcellisés entre associations et institutions vénitiennes, sont néanmoins encore visibles. En effet, Punta della Dogana fut tour à tour entrepôt des Gallerie dell'Accademia, siège d'une société de canotage et également partie du nouveau Séminaire mineur, pour ne citer que quelques unes des ses fonctions. Il en résulte donc des traces de cloisons montées puis abattues, des trous sur les murs et dans les greniers, des empreintes laissées par des escaliers de fer, des fenêtres et des trappes, qui ont bouleversé la logique structurelle originelle de l'édifice.

Certaines décisions importantes sont prises au cours des mois de février et de mars 2008. Dans les nefs n. 4 et 5, entre les échafaudages, la boue et les ouvriers au travail, se préparent quelques mètres carrés de sol recouvert de *masegni* et de ciment ainsi qu'une présentation de lucarnes et d'encadrements de fenêtres. On apporte les dernières retouches à une partie des combles et on installe les équipements technologiques et les éclairages. Car Ando et Pinault rencontrent les équipes italiennes afin de discuter de chaque détail des finitions. On apprécie l'assemblage des nouveaux éléments avec ceux préexistants et on évalue la fonctionnalité des espaces par rapport à son rôle de lieu d'exposition. Ando se montre extrêmement attentif à la conservation de l'édifice, aux indications de la Surintendance et aux suggestions des chefs de projet italiens. Le grand défi admis par tous est celui de trouver le meilleur compromis entre la perfection formelle de l'architecture Ando et les défectuosités de l'ancienne Punta della Dogana qui en font aussi le charme, avec ses murs bombés, ses planchers et ses revêtements irréguliers, ses portes et ses pièces inégales. Dans toutes les décisions d'Ando prévaut la simplicité, la priorité du vieil édifice sur le nouveau. Le verre, le béton, le métal s'apposent avec respect sur l'ossature séculaire du bâtiment, sur le bois, sur les briques et sur les enduits originaux. Là où ces derniers sont abîmés, manquants, ou simplement érodés par le temps, la main de l'architecte japonais n'imite pas, ne couvre pas, ne répare pas. Elle en suit plutôt la trace, en recomposant la mémoire et le parcours historiques.

La réalisation de la cuve recueillant les eaux représente la plus grande priorité du printemps 2008. Il s'agit d'une véritable coque de béton armé construite sous le sol du bâtiment, garantissant son imperméabilisation totale même dans le cas d'une marée d'une hauteur de plus 2 mètres, valeur supérieure au record historique d'*acqua alta* de 1966. Des parois mobiles positionnées sur les portails et une barrière horizontale qui remonte le long de la base des murs, ainsi que différentes couches de béton et une gaine imperméabilisante, permettent de maintenir le sol à l'abri de l'eau et de l'humidité. Cette cuve contient également des travées qui courent sous l'édifice pour accueillir les installations électriques, hydrauliques, télématiques et un système de chauffage au sol. Le passage de ces installations du rez-de-chaussée à l'étage sera résolu par la suite en imaginant la construction de trois locaux techniques situés dans les nefs n. 3, 6 et 7, couverts de murs de béton pour respecter les règles de conservation du bâtiment qui interdisent de marquer les murs transversaux et ceux du périmètre de Punta della Dogana.

Aux murs de briques apparentes est appliqué un traitement bien plus délicat. Il s'agit de la technique dite du «découdre pour recoudre» qui consiste à remplacer chaque brique endommagée une à une, en intervenant de manière presque chirurgicale sur les parties particulièrement dégradées. Cette opération concernera un peu plus de 10% des 5000 mètres carrés des murs existants, en réutilisant soit les briques originelles du bâtiment soit des briques anciennes aux caractéristiques physiques et chromatiques analogues et en créant du ciment à la composition chimique identique à l'original. Les interventions qui ont lieu sur les murs externes de l'édifice sont encore plus complexes. Les équipes de restaurateurs agissent sur les éléments artistiques et structurels, les consolident en utilisant des barres d'acier et des micro-injections de ciment et de chaux pour supprimer le moindre espace vide et ainsi tout risque de dislocation interne. Le *bugnato* de la façade, i.e. ses bas-reliefs, constitué d'éléments muraux enduits, est pour sa part rénové grâce à des traitements bioxydes et une intervention extrêmement fine de consolidation structurelle. Les enduits sont refaits uniquement dans les portions de mur où les briques sont encore intègres tandis que celles qui sont plus fragiles font l'objet d'un simple nettoyage.

La restauration complète de la toiture est réalisée durant les mois chauds d'été. Environ 9000 mètres carrés de surface, celle des greniers incluse, subissent un traitement anti-thermites, de sablage et de consolidation. Chacune des 130 charpentes qui constituent l'ossature du toit est démontée, reconsolidée et repositionnée à sa place initiale, ou bien remplacée selon son niveau de dégradation. Plus de la moitié des tuiles originales (environ 45.000) sont restaurées et remises à leur place, de même pour 50.000 des 80.000 parpaings.

C'est également en été que les équipes de Dottor Group doivent affronter un des défis les plus complexes de cette intervention. Il s'agit de la construction du «cube Ando», imaginé au centre de l'espace commun aux nefs n. 4 et 5. Signature stylistique de l'architecte japonais, les murs du cube sont des parois de béton armé apparent et sont réalisés selon une technique raffinée de charpenterie qui permet d'obtenir une surface lisse et brillante comme de la soie. A Punta della Dogana, les parois du cube mesurent 7,11 mètres de hauteur, 16 mètres de largeur et 30 centimètres d'épaisseur. C'est une intervention unique au monde compte tenu des contraintes logistiques imposées par l'environnement dans lequel elle est réalisée et aussi parce que personne auparavant n'avait jamais érigé un «mur Ando» de cette ampleur d'un seul jet. Le béton ne pouvant être préparé sur place, il doit parcourir 10 kilomètres de route puis de mer avant d'arriver sur les rives de Punta della Dogana. Des tests et des simulations sur la terre ferme ont donc du être effectués pour déterminer le mélange exact de béton et la quantité de produit retardateur à y intégrer pour allonger les temps d'utilisation tout en obtenant un résultat de qualité. La réalisation du moule, c'est-à-dire du cube de bois dans lequel sera coulé le béton, requiert une précision millimétrique. L'assemblage des panneaux 90 x 180 centimètres, dimensions standards des modules du «mur Ando», et des pivots permettant l'exécution des alvéoles est faite sur le chantier même. La phase de pompage du ciment s'avère être la plus critique: une embarcation ancrée à Punta della Dogana, au cœur de la lagune, subit inévitablement la houle provoquée par les autres bateaux. Les pompes positionnées sur cette embarcation et munies d'un bras allant jusqu'à 56 mètres de longueur sont inévitablement victimes des oscillations de l'eau qui, même lorsqu'elles ne dépassent pas quelques centimètres, provoquent des ondulations du bras de plusieurs mètres. D'où la nécessité de poursuivre les jets de béton à l'aube ou au beau milieu de la nuit, quand les vagues sont limitées.

L'achèvement de la construction du «cube Ando» marque un tournant important dans les travaux, ouvrant la voie, au moins dans certaines parties de l'édifice, à la longue période de finitions architecturales: la pose et le cirage des sols de ciment, la pose du linoleum sur les planchers des combles, le montage des encadrements de fenêtres, l'installation des éclairages, des équipements de vidéosurveillance et de l'air conditionné (contenu dans un unique câble qui se fond dans la charpente du toit) et tous les espaces de service du futur musée. Mais la restauration du lieu n'est pas encore terminée: au début du chantier, la statue de la Fortune, vieille de quatre siècles, a cessé d'indiquer la direction du vent. Elle est libérée des échafaudages qui l'emprisonnent et déposée à terre pour être enfin rénovée. La structure métallique interne et le mécanisme qui permet la rotation de la statue subissent des interventions de restructuration qui utilisent des techniques traditionnelles. Le cuivre des atlantes est nettoyé et réparé et la dorure du globe se voit restituée son éclat d'origine. Ce sera la dernière opération effectuée sur le chantier et la Fortune reprend sa course contre le vent au mois de mars 2008.

L'80% del perimetro di Punta della Dogana confina con le acque della laguna di Venezia. Il trasporto del materiale è avvenuto esclusivamente via mare.

80% of the perimeter of Punta della Dogana borders on the waters of the Venice lagoon. All material was transported via the sea.

80% du périmètre de la Punta della Dogana donne sur les eaux de la lagune de Venise. Le transport du matériel s'est fait uniquement par la mer.

La copertura dell'edificio, sorretta da 130 capriate di legno, è stata completamente restaurata.

The roofing, supported by 130 wooden roof trusses, was completely restored.

La toiture du bâtiment, soutenue par 130 poutres en bois, a été complètement rénovée.

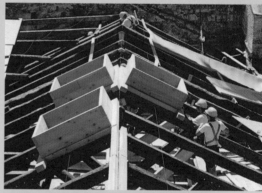

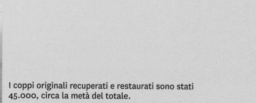

I coppi originali recuperati e restaurati sono stati 45.000, circa la metà del totale.

45.000 of the original tiles, approximately half of the total, were recovered and restored.

45.000 tuiles d'origine ont été récupérées et restaurées, soit à peu près la moitié du total.

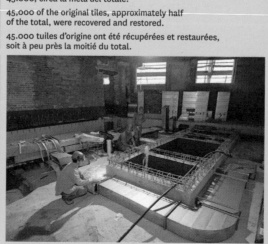

I cunicoli tecnologici, elettrici e di climatizzazione scorrono invisibili sotto i pavimenti e tra le capriate.

The technological, electrical and air-conditioning flues and passageways are invisible below the floors and between the roof trusses.

Les conduites technologiques et électriques, ainsi que celles de la climatisation, sont invisibles puisqu'elles passent sous les sols et entre les poutres.

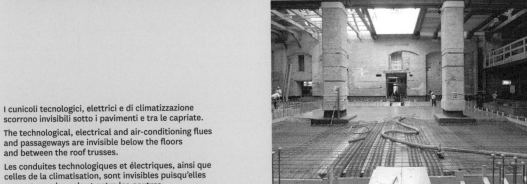

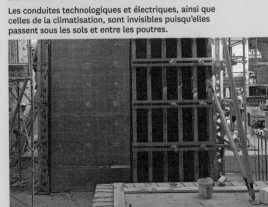

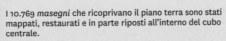

I 10.769 *masegni* che ricoprivano il piano terra sono stati mappati, restaurati e in parte riposti all'interno del cubo centrale.

The 10,769 *masegni* that covered the ground floor were mapped, restored and partially replaced inside the central cube.

Les 10.769 *masegni* qui recouvraient le rez-de-chaussée ont été relevés, restaurés et en partie remis en place, à l'intérieur du cube central.

Il restauro delle pareti di muratura è stato eseguito con la tecnica del «scuci e cuci» che consiste nel sostituire uno a uno i mattoni in avanzato stato di degrado.

The restoration of the brickwork walls was done using the «scuci e cuci» technique that consists in replacing bricks in an advanced state of decay one by one.

Les travaux de rénovation de la maçonnerie ont été exécutés en utilisant une technique consistant à «découdre pour recoudre» et prévoyant de remplacer les briques une par une, lorsqu'elles sont très abîmées.

166

Il cantiere si è concluso con un totale di 300mila ore di lavoro coinvolgendo una media di 120 operai al giorno.

The worksite was completed after a total of 300,000 hours of work involving an average of 120 workmen a day.

Le chantier s'est terminé par un total de 300.000 heures de travail avec une moyenne de 120 ouvriers par jour.

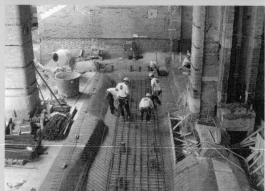

La statua rotante della Fortuna che sovrasta l'edificio
è opera di Bernardo Falcone.

The rotating statue of Fortune above the building
is by Bernardo Falcone.

La statue mobile de la Fortune, qui domine le bâtiment,
est de Bernardo Falcone.

La «Palla d'Oro» è una sfera in bronzo dorato sostenuta da due atlanti che raffigura il mondo ed è sovrastata dalla statua della Fortuna.

The «Palla d'Oro» is a gilded bronze sphere supported by two atlantes that depict the world, with the statue of Fortune above.

La «Palla d'Oro» est une sphère en bronze doré, soutenue par deux atlantes représentant le monde, et est surmontée de la statue de la Fortune.

Le colonne di mattoni sorreggono il solaio della navata due.

Brick columns support the ceiling of the second aisle.

Les colonnes en briques soutiennent le sol de la nef deux.

Il secondo piano dell'edificio verso la punta.

The second floor toward the point.

Le deuxième étage du bâtiment vers la pointe.

La demolizione dei solai in cemento armato risalenti
al XX secolo.

Demolition of the reinforced concrete floors dating
from the twentieth century.

La démolition des sols en béton armé datant du XXème
siècle.

La corte centrale all'inizio dei lavori di restauro.

The central courtyard at the beginning of restoration.

La cour centrale au début des travaux de rénovation.

Durante la mappatura dei *masegni*, i blocchi rettangolari
di trachite che costituiscono la tradizionale
pavimentazione veneziana.

During the mapping of the *masegni*, the rectangular,
trachyte blocks, traditional Venetian paving.

Le relevé des *masegni*, des blocs rectangulaires de
trachyte constituant le pavage vénitien traditionnel.

Durante la mappatura dei *masegni*, i blocchi rettangolari
di trachite che costituiscono la tradizionale
pavimentazione veneziana, e degli antichi mattoni.

During the mapping of the *masegni*, the rectangular,
trachyte blocks, traditional Venetian paving,
and of the old bricks.

Le relevé des *masegni*, des blocs rectangulaires
de trachyte constituant le pavage vénitien traditionnel,
et des vieux briques.

Una fase dello scavo archeologico dove appaiono ampie zone di pavimento di *antinelle* posate a spina di pesce risalente al XVI secolo.

One stage of the archaeological excavations where vast areas of *antinelle* herring-bone-shaped flooring going back to the sixteenth century.

Une phase des fouilles archéologiques faisant apparaître de vastes surfaces de sol recouvert d'*antinelle* datant du XVIème siècle, posées en épi.

Il salone centrale durante la realizzazione dei «muri Ando».

The main hall while the «Ando walls» were being
constructed.

Le salon central pendant la réalisation des «murs Ando».

La realizzazione del cubo centrale ha richiesto otto
differenti getti e l'utilizzo di uno speciale cassero di legno
che, insieme a un particolare mix di calcestruzzo,
permette di ottenere una superficie liscia e lucente.

The creation of the central cube required eight different
casts and the use of a special wooden cylinder caisson
that, together with a special concrete mixture, results
in a smooth, shiny surface.

La réalisation du cube central a exigé huit coulées
et l'emploi d'un coffrage spécial, avec un mélange spécial
de béton, pour obtenir une surface lisse et luisante.

La corte centrale in costruzione.

The central courtyard under construction.

La cour centrale en construction.

L'accostamento tra i *masegni* originali e i nuovi muri della corte centrale.

The combination of the original *masegni* and the new walls of the central courtyard.

L'association des *masegni* d'origine avec les nouveaux murs de la cour centrale.

La corte centrale prima della posa dei *masegni*
nel dicembre del 2008.

The central courtyard before the *masegni* were laid
in December 2008.

La cour centrale avant la pose des *masegni*
en décembre 2008.

Santa Maria della Salute e Punta della Dogana.
Santa Maria della Salute and Punta della Dogana.
Santa Maria della Salute et Punta della Dogana.

Veduta del torrino affacciato sul bacino marciano.
View of the small tower overlooking St. Mark's Basin.
Vue de la petite tour donnant sur le bassin de Saint Marc.

Punta della Dogana dall'alto.

Punta della Dogana from above.

Punta della Dogana vue d'en haut.

Il fronte d'ingresso verso Santa Maria della Salute
e scorcio del fronte su Canal Grande.

The entrance toward Santa Maria della Salute with a view
of the Grand Canal frontage.

La façade d'entrée vers Santa Maria della Salute
et aperçu de la façade sur le Grand Canal.

Una parete di protezione degli impianti da uno
dei mezzanini.

A wall protecting the plant on one of the mezzanine
floors.

Un mur de protection des équipements, vu de l'un
des entresols.

I muri in laterizio e le capriate dopo gli interventi
di conservazione e restauro.

The brick walls and roof trusses after conservation
and restoration.

Les murs en brique et les poutres après les interventions
de conservation et de rénovation.

Il sistema impiantistico disposto tra gli elementi in legno della copertura.

The plant arranged among the wooden roofing elements.

L'ensemble des équipements installé entre les éléments en bois de la toiture.

Gli spazi espositivi ricavati nei mezzanini.

The exhibition spaces created on the mezzanine floors.

Les salles d'exposition récupérées dans les entresols.

Veduta attraverso gli spazi espositivi dei mezzanini verso quelli a tutta altezza.

View through the mezzanine exhibition spaces toward the full height areas.

Vue à travers les salles d'exposition des entresols, vers celles qui sont tout en hauteur.

Veduta dell'ingresso.

View of the entrance.

Vue de l'entrée.

I magazzini di Punta della Dogana al termine dei lavori di restauro e rifunzionalizzazione.

The Punta della Dogana warehouses after restoration and conversion.

Les dépôts de la Punta della Dogana à la fin des travaux de rénovation et de remise en état.

Particolari della scala e veduta di una delle sale
espositive a tutta altezza.

Details of the staircase and one of the full-height
exhibition rooms.

Détails de l'escalier et vue d'une des salles d'exposition
tout en hauteur.

La sala a tutta altezza della quinta campata del complesso con la parete di protezione degli impianti e il percorso di connessione degli spazi espositivi ricavati nei mezzanini.

The full height room of the fifth bay of the complex with the plant protection wall and the pathway connecting the exhibition spaces created on the mezzanine floors.

La salle tout en hauteur de la cinquième travée de l'ensemble, avec le mur de protection des équipements et le parcours passant par les salles d'exposition récupérées dans les entresols.

Veduta dal piano terra verso la sala espositiva a tutta
altezza.

View from the ground floor toward the full height
exhibition room.

Vue du rez-de-chaussée vers la salle d'exposition tout
en hauteur.

Gli spazi espositivi ricavati al piano terra ai lati
della corte centrale.

The exhibition areas created on the ground floor
at the sides of the central courtyard.

Les salles d'exposition récupérées au rez-de-chaussée,
de chaque côté de la cour centrale.

Vedute attraverso la muratura che definisce la corte
centrale dagli spazi secondari al piano terra.

View toward the walling that separates the central
courtyard from the secondary spaces on the ground
floor.

Vues à travers les murs entourant la cour centrale
à partir des espaces secondaires au rez-de-chaussée.

Particolare della muratura in cemento armato della corte
centrale e dei solai in legno.

Detail of the central courtyard's reinforced concrete
walling and the wooden ceilings.

Détail des murs en béton armé de la cour centrale
et des sols en bois.

pp. 208-209
L'interno della corte centrale.
The inside of the central courtyard.
L'intérieur de la cour centrale.

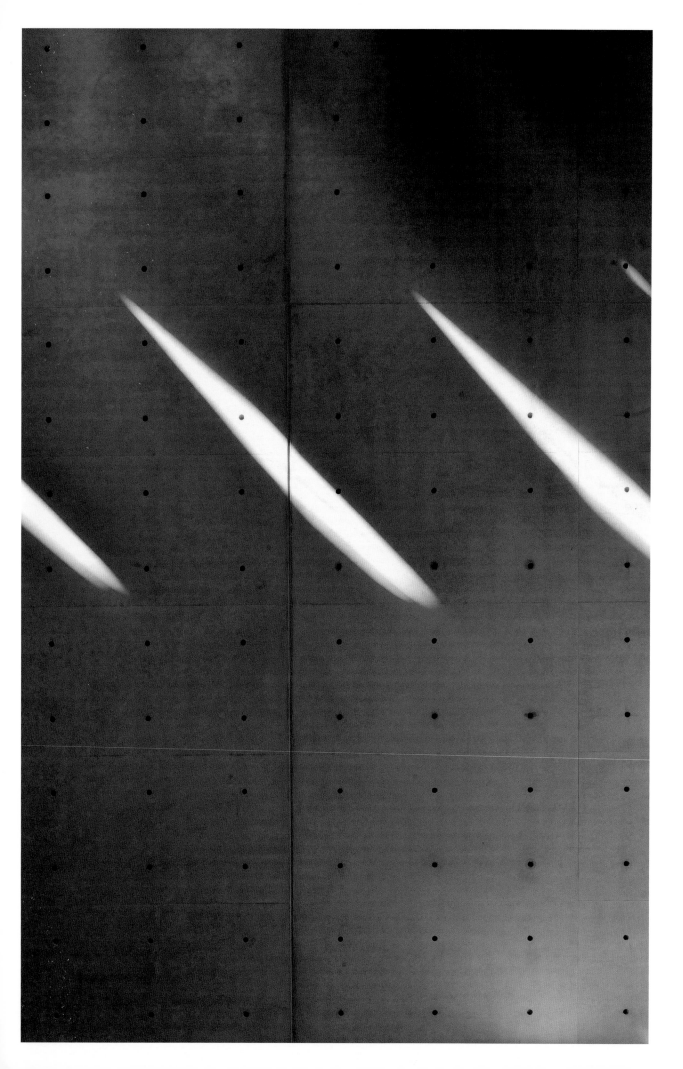

Particolare della muratura che definisce la corte centrale.

Detail of the walling that defines the central courtyard.

Détail des murs entourant la cour centrale.

La pavimentazione in pietra ripristinata dalla corte centrale.

The repaired stone paving of the central courtyard.

Le pavage rénové de la cour centrale, en pierre.

Vedute parziali e di scorcio dell'interno della corte centrale.

Partial views and glimpse of the inside of the central courtyard.

Vues partielles et aperçu de l'intérieur de la cour centrale.

Particolare del fronte interno della corte centrale.

Detail of the inside front of the central courtyard.

Détail de la façade à l'intérieur de la cour centrale.

Veduta dal primo piano della corte centrale verso
il fronte sulla laguna.

View from the first floor of the central courtyard toward
the lagoon frontage.

Vue du premier étage de la cour centrale vers la façade
sur la lagune.

Veduta dal piano terra della muratura che definisce
la corte centrale.

View from the ground floor of the walling that defines
the central courtyard.

Vue des murs entourant la cour centrale, à partir
du rez-de-chaussée.

La scala a lato del volume in cemento della corte
centrale che porta ai mezzanini.

The staircase at the side of the cement volume of the
central courtyard that leads to the mezzanine floors.

L'escalier à côté du volume en ciment de la cour centrale
permettant l'accès aux entresols.

Lo spazio della scala che separa la muratura in cemento
della corte centrale dai muri originali in laterizio.

The staircase area that separates the cement walling
of the central courtyard from the original walls in brick.

L'espace de l'escalier qui sépare les murs en ciment
de la cour centrale des murs d'origine en brique.

Veduta dal livello dei mezzanini della muratura
che definisce la corte centrale.

View from the level of the mezzanines of the walling
that defines the central courtyard.

Vue des murs entourant la cour centrale, à partir
du niveau des entresols.

Il volume esterno della corte centrale dalle sale
espositive dei mezzanini.

The external volume of the central courtyard
from the mezzanine exhibition areas.

Le volume à l'extérieur de la cour centrale, à partir
des salles d'exposition dans les entresols.

Vedute della rampa adiacente il volume della corte
centrale.

View of the stairway next to the volume of the central
courtyard.

Vues de la volée adjacente au volume de la cour centrale.

pp. 222-223

Il percorso espositivo che si affaccia sulla corte centrale.

The exhibition pathway that faces onto the central courtyard.

Le parcours des salles d'exposition donnant sur la cour centrale.

Veduta attraverso la corte centrale.
View toward the central courtyard.
Vue à travers la cour centrale.

Gli affacci sullo spazio espositivo principale.
Views onto the main exhibition area.
Les espaces donnant sur la salle d'exposition principale.

Gli infissi delle aperture dei mezzanini verso il Canal
Grande e verso il canale della Giudecca.

The fixtures of the openings on the mezzanine floors
toward the Grand Canal and the Giudecca Canal.

Les cadres des ouvertures des entresols donnant vers
le Grand Canal et vers le canal de la Giudecca.

Particolari degli infissi di un'apertura del mezzanino affacciata verso San Marco e di una delle porte laterali.

Details of the fixtures of the openings on the mezzanine facing St. Mark's and of one of the side doors.

Détails des cadres d'une ouverture de l'entresol donnant vers Saint Marc et d'une des portes latérales.

Lo spazio espositivo nell'ultimo dei magazzini verso Punta della Dogana.

The exhibition area in the last of the warehouses toward the Punta della Dogana.

La salle d'exposition dans le dernier des dépôts situé vers la Punta della Dogana.

Campo e controcampo dell'ambiente che precede l'uscita su Punta della Dogana.

Shot and reverse shot of the area before the exit onto the Punta della Dogana.

Champ et contre-champ de la salle qui précède la sortie donnant vers la Punta della Dogana.

Vedute interna ed esterna dell'uscita su Punta della Dogana.

Internal and external views of the exit onto the Punta della Dogana.

Vues à l'intérieur et à l'extérieur de la sortie donnant vers la Punta della Dogana.

L'ambiente al primo piano del torrino affacciato
sul bacino marciano.

The first floor room in the small tower facing onto
St. Mark's Basin.

La salle au premier étage de la petite tour donnant
sur le bassin de Saint Marc.

pp. 236-237

La corte centrale allestita con l'opera di Rudolf Stingel,
Untitled (Alpino 1976), 2006 (olio su tela, 335,9 x 326,4 cm).

The central courtyard with the work by Rudolf Stingel,
Untitled (Alpino 1976), 2006 (oil on canvas, 335.9 x 326.4 cm).

La cour centrale aménagée avec l'œuvre de Rudolf Stingel,
Untitled (Alpino 1976), 2006 (huile sur toile, 335,9 x 326,4 cm).

Gli spazi espositivi ricavati nei mezzanini allestiti con opere
di Paul McCarthy, *Train, Pig Island*, 2007 (tecnica mista, 266
x 558 x 124 cm); Thomas Schütte, *Efficiency Men*, 2005
(acciaio e silicone, 250 x 117 x 82 cm); Cy Twombly,
Coronation of Sesostris, 2000 (ciclo di dieci pannelli, acrilico,
matita e pastello a cera su tela).

The exhibition spaces created on the mezzanine floors with
works by Paul McCarthy, *Train, Pig Island*, 2007 (mixed
media, 266 x 558 x 124 cm); Thomas Schütte, *Efficiency Men*,
2005 (steel and silicon, 250 x 117 x 82 cm); Cy Twombly,
Coronation of Sesostris, 2000 (cycle of ten panels, acrylic,
pencil and wax pastel on canvas).

Les salles d'exposition récupérées dans les entresols
aménagées avec des œuvres de Paul McCarthy, *Train, Pig
Island*, 2007 (technique mixte, 266 x 558 x 124 cm); Thomas
Schütte, *Efficiency Men*, 2005 (acier et silicone, 250 x 117 x 82
cm); Cy Twombly, *Coronation of Sesostris*, 2000 (cycle de dix
panneaux, acrylique, crayon et pastel à la cire sur toile).

239

FRANCESCO DAL CO
QUINDICI DOMANDE.
FRANÇOIS PINAULT
QUINDICI RISPOSTE.

FRANCESCO DAL CO Lei è un imprenditore di successo e un appassionato collezionista. Come si relazionano questi due aspetti della sua vita al di là delle più ovvie implicazioni e come ha iniziato a interessarsi all'arte contemporanea?

FRANÇOIS PINAULT Ho iniziato ad appassionarmi all'arte una quarantina d'anni fa, quando, in occasione di una visita a una galleria d'arte, ho visto un quadro di Paul Sérusier che mi ha colpito e che ho acquistato. Da allora il mio occhio si è esercitato e mi sono interessato sempre più alle creazioni del mio tempo. La frequentazione dell'arte fa ricordare il fulgore e la fragilità della vita. Un'opera d'arte è espressione di un'intelligenza creatrice cosciente che respinge costantemente i limiti imposti, o, in altre parole, che ci fa uscire dal tranquillo torpore delle nostre abitudini. La potenza di un'opera d'arte è il prodotto di un'espressione libera da qualsivoglia costrizione utilitaristica. Questo è sempre stato il mio approccio all'arte. L'arte mi porta a fare delle scelte e a correre dei rischi. È vero anche che nella vita di un imprenditore il rimettersi in discussione e il correre dei rischi sono costantemente presenti. Resta il fatto che nell'ambito dell'arte l'emozione è di primaria importanza, mentre negli affari essa viene considerata, in generale, con sospetto.

FDC Il suo interesse per l'arte si limita alle produzioni artistiche contemporanee? Vi sono aspetti dell'arte del passato che la interessano e che l'hanno spinta a dedicare le sue attenzioni all'arte che viene prodotta nei medesimi anni in cui lei ne può osservare il divenire?

FP Sono dell'opinione che non ci siano cesure nell'arte. Gli artisti contemporanei meritano che ci si soffermi sul loro lavoro come su quello dei loro illustri predecessori. Come disse Hannah Arendt, l'opera d'arte si insedia in un'immortalità potenziale. Quando ho cominciato a collezionare, inizialmente mi sono interessato agli artisti di fine Ottocento, prima di scoprire l'astrazione, che mi ha aperto altri territori. È quindi in modo del tutto naturale che mi sono rivolto all'arte del mio tempo e al processo creativo contemporaneo. Da sempre la creazione contemporanea suscita perplessità, se non addirittura rifiuto. In generale, il gusto spinge il pubblico a rivolgersi più volentieri verso ciò che è rassicurante. È inevitabile poiché la modernità si manifesta come una successione di rotture. E sono queste rotture che mi interessano.

FDC Quali sono i caratteri della produzione artistica contemporanea, come in nessuna altra epoca spinta ad avvalersi di mezzi espressivi, tecniche e linguaggi non di rado così diversi da risultare incomunicabili, ovvero babelici, che più attirano la sua curiosità di collezionista?

FP Un'opera d'arte non si può apprezzare soltanto attraverso il mezzo con cui si esprime, che è la sua forma contingente. Sono la visione e l'ispirazione dell'artista a essere determinanti. È questo che distingue l'imitatore dal creatore. L'imitatore può possedere talento, ma questo deriva soprattutto da un'applicazione della padronanza delle regole dell'arte. Il creatore, invece, è una fonte inesauribile d'ispirazione, abbonda di idee, forme o immagini ed è questo che suscita entusiasmo, meraviglia e interrogativi. In altri termini, il creatore innova e inventa nuove regole e nuove forme nell'arte. La moltiplicazione di tecniche, di linguaggi, di supporti e di mezzi espressivi, del resto, riflette bene la nostra epoca. Gli artisti se ne impadroniscono per condurci verso nuovi lidi, verso territori sconosciuti, per ridefinire i canoni stabiliti dell'arte e per influenzare esplicitamente e implicitamente la percezione del mondo che ci circonda. Da questo punto di vista, la creazione contemporanea possiede una capacità infinita di stravolgere le certezze e aprire nuove prospettive, avendo come sua unica regola la libertà.

FDC In che misura lei ritiene che l'arte – e naturalmente vorrei ci limitassimo a parlare dell'arte contemporanea – sia al contempo espressione di un gusto e formatrice di gusti?

FP Nel senso più comunemente condiviso, il gusto è il prodotto di un accumularsi di determinismi: il determinismo culturale, il determinismo storico, o anche molto semplicemente quello legato alla soggettività individuale. Spesso esso si basa su criteri convenuti, su consensi comodi e un po' pigri. Ora, l'arte non si ribella forse giustamente alle imposizioni e ai compromessi? La sua insubordinazione alla tirannia del gusto si esprime in modo ancor più radicale nell'arte contemporanea, anche se, in fondo, è sempre esistita. Prenda La vecchia, una magnifica opera di Giorgione esposta alle Gallerie dell'Accademia a Venezia, il cui soggetto è la vecchiaia e la bruttezza. È un quadro di grande valore estetico, ma non lusinga il gusto nel senso comune del termine. Per esprimere la propria sensibilità estetica un amante dell'arte deve superare i sentimenti scontati che derivano dal gusto dominante. È proprio la sensibilità che l'arte riesce a svegliare. Se l'arte ha un valore supremo, è proprio quello di rendere lo sguardo ancora più libero. Laddove la percezione delle opere è ostacolata, per molti nostri simili, dal peso delle convenzioni, diviene trasparente e fluida per l'artista. L'artista è dotato di quel sovrappiù di sensibilità che gli permette di afferrare l'individualità degli esseri e la singolarità delle situazioni. Per queste ragioni non ha senso voler convertire gli altri all'ordine estetico. Il giudizio estetico rientra nel campo della libertà, del libero arbitrio e della convinzione profonda.

FDC Ma l'arte è anche una manifestazione della funzione del mercato che accompagna e sollecita la trasformazione dei gusti, delle mode e delle mentalità?

FP L'amante dell'arte prende liberamente le proprie decisioni. Una collezione non può che essere animata da un impegno e da una passione autentica per l'arte, indipendentemente dalla dittatura delle autorità ufficiali, benché talvolta le prescrizioni del mercato influenzino le scelte e i desideri di alcuni. È sempre stato così. Fin dalle corporazioni di pittori, dalle giurie accademiche e oggi con il mercato dell'arte, ci sono sempre state delle istituzioni deputate ad assegnare alla produzione artistica qualche riconoscimento ufficiale. Ma questa funzione ha solo in rari casi fatto la storia dell'arte. I capolavori del passato sono ormai archiviati e per la maggior parte nei musei. Tra l'altro, il valore artistico di queste opere è stato raramente riconosciuto dalle autorità ufficiali nella loro epoca.

FDC Vi è una specificità che distingue il mercato dell'arte contemporanea da quello che regola la circolazione delle opere del passato, del passato vicino e di quello lontano?

FP È vero che c'è stata un'infatuazione per le opere d'arte contemporanea, specialmente negli Stati Uniti, che è stata probabilmente legata all'emergere di fortune accumulate rapidamente, e in certi casi si sono verificati dei comportamenti irrazionali. Ma se la si considera da un punto di vista storico la situazione attuale non ha nulla di particolare. La vendita della collezione di re Carlo I d'Inghilterra nel 1641, di cui Mazarino è stato uno dei più grandi acquirenti, ha rappresentato un avvenimento importante, in un contesto chiuso. In seguito, la vendita della collezione dell'associazione «la Peau de l'Ours» in Francia nel 1914, in cui un gruppo di appassionati aveva raccolto, fra gli altri, dei Picasso, dei Bonnard, dei Van Dongen, ha raggiunto una quotazione che ha segnato un record assoluto per degli artisti viventi, suscitando le più aspre critiche. Oggi la circolazione delle informazioni fa sì che gli eventuali eccessi producano un'eco ancora maggiore. Ne amplifica l'effetto. Ma si tratta di una dimensione secondaria, anche se le somme in gioco sono importanti. Io credo che coloro che investono nell'arte si sbaglino, perché l'arte finisce per vendicarsi.

FDC Nel passato i grandi mecenati riservavano i loro favori a pochi artisti prediletti. Nel Novecento le cose sono un po' cambiate. Nel 1940 circa, se non sbaglio, Peggy Guggenheim dichiarò di «voler comperare un quadro al giorno» e si presentò a una festa indossando «un orecchino di Tanguy e uno di Calder per dimostrare la sua imparzialità tra l'arte surrealista e quella astratta». Lei si sente in qualche misura erede di questa tradizione che ha modellato la figura del mecenate che affronta la babele dei linguaggi parlati dell'arte collezionandoli «tutti»?

FP L'arte lascia liberi. Con l'arte l'uomo mette alla prova la sua capacità di pensare il singolare. Occuparsi d'arte non è pretendere l'esaustività. Le mie scelte riflettono il mio sguardo, la mia curiosità, i miei impegni e i rischi che mi assumo. Quella che ho raccolto non è una collezione costruita con uno scopo sistematico. L'idea non è quella di moderare la forza delle mie scelte con impossibili sfumature di equilibrio o con considerazioni d'imparzialità o di campionamento geografico. Nel mio caso non vale alcuna necessità particolare se non quella di possedere un'opera che amo. Mi interessano i giovani artisti e parallelamente continuo a sostenere gli artisti che seguo già da tempo.

FDC Come avviene la trasformazione di un collezionista in un mecenate? E per quali ragioni o fini? Con la realizzazione dei suoi musei veneziani, Palazzo Grassi e Punta della Dogana, sembra che lei abbia compiuto questo passo.

FP Mi è venuto molto presto il desiderio di mostrare, per condividerle con il pubblico, le opere che amavo e che stavo raccogliendo. Questo progetto ha visto la luce a Venezia in due siti prestigiosi come Palazzo Grassi e la Punta della Dogana, che sono stati mirabilmente restaurati e ristrutturati da Tadao Ando per accogliere opere d'arte contemporanea. Il mio desiderio è quello di proporre al giudizio del pubblico un punto di vista su queste opere, sulle relazioni che esse intrattengono fra loro al di là dei decenni che le hanno viste nascere, della diversità delle situazioni culturali di cui sono testimoni e delle tecniche che le caratterizzano. La mia non è una collezione statica. Anzi, è una collezione che tende a captare le realtà vive di un mondo che viene stravolto a un ritmo sempre più rapido. La presentazione di questa collezione si iscrive dunque nello spazio dinamico del processo creativo, specialmente quando l'artista viene invitato a confrontare il suo bisogno di creare con l'incontro indotto con un pubblico. Il mio scopo è di sostenere, il più possibile, il desiderio degli artisti di basarsi sulle circostanze stesse di una mostra per concepire opere destinate specificamente a essa e destinate ad arricchire la collezione. Se la definizione del mecenatismo è questa disponibilità verso dei progetti artistici, allora ho compiuto questo passo.

FDC Nel realizzare i suoi due musei veneziani lei ha compiuto delle scelte per nulla ovvie. La prima riguarda la scelta della città dove realizzarli, Venezia, una metropoli della cultura ma una piccola città, e per questa ragione maliziosamente ho fatto prima cenno a Peggy Guggenheim. Può spiegarmi i motivi che l'hanno spinta a scegliere Venezia come sede dei suoi musei?

FP Venezia appartiene al mondo. È una sfida a ogni certezza e a ogni evidenza. La sua storia non cessa mai di sfidare il tempo. Questo la rende una città unica e terribilmente contemporanea nello spirito. L'«approdare» della mia collezione a Venezia non è stato un palliativo rispetto a una situazione bloccata, né la manifestazione di una banale «tentazione di Venezia», ma una decisione deliberata di costruire, a partire da Palazzo Grassi, una nuova avventura culturale che ora si appoggia anche sulla Punta della Dogana, di cui il Comune di Venezia mi ha affidato la responsabilità. Per un appassionato d'arte è un immenso privilegio poter presentare la propria collezione in due siti tanto eccezionali. Di certo Venezia rappresenta il cuore del mio progetto culturale, ma il mio obiettivo è anche intessere una rete di iniziative temporanee incoraggiando specialmente esposizioni itineranti della mia collezione per formare una rete culturale nella quale circoleranno le opere. È una scelta contemporanea.

FDC Un'altra scelta non scontata, soprattutto, mi consenta, per un committente francese, è quella che lei ha compiuto eleggendo Tadao Ando a suo architetto. Come ha conosciuto Ando e come è maturata la decisione di affidargli i due musei veneziani, che sono ospitati in edifici antichi, tali da obbligare Ando a confrontarsi con situazioni per lui non usuali?

FP Conosco Tadao Ando e il suo lavoro da molti anni. Avevamo deciso insieme di costruire un museo. Con i suoi edifici in cemento grezzo dalle forme geometriche semplici, Tadao Ando si inserisce nella tradizione degli architetti d'eccezione, il cui pensiero nutre e ispira le costruzioni contemporanee. Tadao Ando cerca di tracciare una nuova via, che trae origine dalla fusione fra la ricchezza della tradizione giapponese e la moderna evoluzione occidentale, che tende a riconciliare l'individuo con il suo ambiente. A Venezia, dove la sfida era quella di restaurare e ristrutturare edifici storici per ospitarvi l'arte contemporanea, la scelta di Tadao Ando si è imposta nettamente. Ha realizzato, sia a Palazzo Grassi sia alla Punta della Dogana, cornici efficaci ristrutturandole sapientemente, di modo che si ha l'impressione che questi edifici siano stati destinati, fin dalla loro costruzione, a ospitare opere d'arte. A Palazzo Grassi, Tadao Ando ha conservato tutti i punti di riferimento spaziali e architettonici dell'edificio, ripensando le sale espositive per metterle naturalmente al servizio delle opere d'arte. L'atmosfera ieratica che vi ha creato Ando permette di far coabitare in modo molto armonioso le diverse epoche che hanno segnato la storia di Palazzo Grassi. Per la Punta della Dogana ha sviluppato un progetto radicale. L'esterno è restaurato, l'interno è stato letteralmente ricreato con l'inserimento di gallerie espositive che sposano la forma e lo spirito di questo eccezionale edificio. Coniuga così la perfezione visiva con la sobrietà più totale, unendo il radicamento della sua pratica architettonica nelle tradizioni culturali del Giappone alle più esigenti lezioni della modernità.

FDC Lei avverte delle analogie tra quanto Ando produce come architetto e l'arte alla quale lei riserva le sue preferenze? E se avverte queste analogie potrebbe spiegarle?

FP Non è proprio l'analogia che bisogna cercare, ma uno stato d'animo. Le grandi opere trascendono l'oggetto stesso di cui si nutrono, trasformandosi nell'espressione dello sguardo e della visione del creatore. Analogamente, i grandi edifici, liberati dall'inconsistenza di irrisori dettagli, offrono spazi che permettono di instaurare una comunione con l'essenza stessa della loro esistenza.

FDC Anche se è implicito nelle sue precedenti risposte, potrebbe chiarire ulteriormente quali sono le caratteristiche del lavoro di Ando che più la attirano e quali le caratteristiche che lei pensa lo rendano in buona misura irriducibile alla babele dei linguaggi che l'architettura contemporanea, come l'arte peraltro, utilizza?

FP Tadao Ando è un architetto che ama l'arte. La sua architettura è pura, priva di ogni forma di vanità, di ogni aggiunta parassita, di ogni dettaglio insignificante. L'architettura di Ando basta a se stessa. Trasforma tutto in materiale, compresi i dati naturali come la luce, che per lui divengono una componente architettonica fondamentale. In questo modo gli universi di Ando sono atemporali. Gli spazi che crea invitano alla meditazione e alla riflessione. Sono spazi di cui ci si appropria quasi naturalmente. Tadao Ando è uno dei rari architetti che si fanno da parte dinanzi a un contesto, una natura o un edificio esistente per creare o far resuscitare dei capolavori. Non cessa mai di nutrirsi della sua doppia cultura: la silenziosa spiritualità asiatica e la chiassosa modernità occidentale.

FDC Per concludere devo porle altre tre domande che potrebbero apparire strane poiché rivolte a un collezionista che sembra aver dedicato tutte le sue attenzioni all'arte creata da suoi contemporanei. Ma se si considera che anche i personaggi che queste domande chiamano in causa nutrirono un interesse simile e se si pensa che l'epoca in cui vissero è così vicina alla nostra, forse si può comprendere come possano aiutarci a uscire dall'ossessionante identificazione di ciò che è contemporaneo con ciò che è attuale, un luogo comune all'origine di non poche limitazioni e molti fraintendimenti quando si pongono domande a uno dei massimi collezionisti d'arte contemporanea al mondo e ora anche uno dei mecenati più generosi. Agli albori dell'Umanesimo gli artisti non erano considerati autori a tutti gli effetti; era il mecenate il vero artefice dell'opera rispetto alla quale l'artista era semplicemente un artefice. Si potrebbe pensare che questa condizione si ripresenti al giorno d'oggi nel rapporto che lega artista e mercato, essendo il mercato l'espressione dei gusti, delle finalità e degli scopi del collezionista? E riferendoci all'architettura, a suo giudizio ciò vale ancora oggi, sia in termini generali sia in relazione alle esperienze che lei ha compiuto?

FP Gli artisti sono gli unici creatori. È vero che agli albori dell'Umanesimo vivevano delle commissioni e della protezione dei loro mecenati, ma questo non ha mai impedito loro, ai più grandi fra loro, di esprimere la loro visione in totale libertà. È questo che distingue gli artisti dagli artigiani. Accompagnarli nel processo creativo non significa, perlomeno dal mio punto di vista, indicare loro il percorso da seguire. Anzi, si tratta di dare loro i mezzi affinché possano fiorire le espressioni artistiche che sono loro proprie. Nel corso del Rinascimento italiano, tutti i grandi mecenati erano strenui difensori dell'avanguardia artistica in ogni campo. Un mecenate non è mai stato, o quasi mai, all'origine dell'ispirazione dell'artista né oggi lo è il mercato. L'artista ha o non ha qualcosa da dire. Questa è la differenza, del resto, fra gli artisti geniali e gli altri. Questo ragionamento vale anche per l'architettura, anche se, in questo caso, l'appaltatore fornisce un capitolato più preciso poiché un edificio, per definizione, ha una finalità. L'architettura è un'arte con delle costrizioni ed è intimamente legata a un contesto, quello in cui viene usata, quello rappresentato dai vincoli finanziari, quello costituito dal tessuto e dal paesaggio urbano in cui si integra. Si tratta di una disciplina che esige sia una grande conoscenza teorica, sia un'abilità pratica. Proprio queste costrizioni sono all'origine dei capolavori. Come diceva Vitruvio, l'architetto geniale è colui che riesce a conciliare abilmente la ricerca e le costrizioni per inventare forme nuove e adattate. E, anche lì, il mecenate lo accompagna.

FDC Filarete, nella prima metà del Quattrocento, secondo E.S. Welch, spiegando quali rapporti leghino il committente all'architetto, «ha creato una famiglia virtuale col padre-mecenate, la madre-architetto e il figlio-edificio»: lei ritiene che questa rappresentazione sia ancora valida?

FP Questa famiglia virtuale ha fatto l'Italia del Rinascimento. Essa incarna l'età d'oro dell'architettura, in cui, per la grazia e il desiderio dei grandi principi, gli architetti hanno avuto accesso a un'importante funzione sociale in un ambiente in continuo movimento. Essa esprime molto bene anche la metafora dell'edificio come corpo, così caratteristica per l'architettura umanistica. Le ricordo che lo stesso Filarete definiva soprattutto l'architetto come un «pensatore che disegna».

FDC Giovanni Rucellai, il committente di Leon Battista Alberti, nello Zibaldone, definisce efficacemente quali sono gli scopi che muovono il mecenate: «Due cose principali sono quelle che gl'uomini fanno in questo mondo. La prima è lo 'ngienerare. La seconda l'edificare». In che misura, se lo ritiene, lei pensa di appartenere al novero degli uomini che perseguono questi fini?

FP Ho sempre pensato che l'unica misura per distinguere il possibile dall'impossibile sia la volontà di un uomo. Quello che io cerco, con i mezzi a mia disposizione, è di risvegliare la coscienza e lo sguardo del pubblico sui propri tempi, presentando la collezione che raccolgo. Mi auguro che chiunque visiti Palazzo Grassi o la Punta della Dogana venga colpito da un'opera, anche da una sola, di cui conserverà il ricordo e che questo ricordo faccia nascere in lui il desiderio di saperne di più. Questo è l'inventare o l'edificare? Sarà il futuro a giudicarlo.

FRANCESCO DAL CO
FIFTEEN QUESTIONS.
FRANÇOIS PINAULT
FIFTEEN ANSWERS.

FRANCESCO DAL CO You are a successful businessman and a successful collector. How do these two aspects of your life fit together? And how did your passion for contemporary art come about?

FP The passion for art gripped me about forty years ago, when during a visit to a gallery I saw a painting by Paul Sérusier that touched me and which I bought. Since then, I have exercised my eye for art and become progressively more interested in works created during my own time. Engaging with art brings one into contact with what is both vivid and fragile about life. A work of art is the expression of a creative intelligence that is continually pushing back imposed limits; in other words, it rouses us from the torpor of our habits. A work of art is the product of a form of expression that is totally free from utilitarian constraints. That has always been my approach to art: it leads me to make choices and take risks. True, challenges and risks are an omnipresent part of the life of an entrepreneur. However, in the domain of art, it is the emotions that remain paramount – and in the field of business, emotions are generally considered suspect.

FDC Is your interest in art limited to contemporary works? Are there aspects of the art of the past that fascinate you, that have driven you to focus your attention on contemporary art, an art whose evolution and developments you can follow?

FP I don't think there are any clean breaks within art. The work of contemporary artists deserves to receive as much considered attention as that of their famous predecessors. As Hannah Arendt put it, the work of art occupies a position of potential immortality. When I began collecting, I was initially interested in late-nineteenth century artists, before I went on to discover abstractionism, which opened up new areas to me. It was completely natural that I should then turn towards the art of my own time, towards the contemporary creative process. Throughout history, the art of one's contemporaries has been the cause of perplexity, indeed of rejection. Generally, the public's tastes lead them towards that which is more reassuring. Such rejection is inevitable then, given that the modern is manifest in a series of ruptures with what precedes it. But it is those ruptures that interest me.

FDC More than at any other time in history, art nowadays tends to use an array of media, techniques and languages which are so different from each other that the result is almost a sort of Babel, incapacity to communicate with each other. What are the aspects of this contemporary artistic creation that most stimulate your curiosity as a collector?

FP It is not *via* its medium that one appreciates a work of art; that is just its contingent form. What are decisive are the vision and inspiration of the artist. These are what distinguish the creator from the disciple or follower. Disciples may well have talent – but it is the talent to apply the well-mastered rules of art. As for the creator, he or she is an inexhaustible source of inspiration. Creators abound in ideas, forms and images – and it is this which stirs our enthusiasm and wonder, which raises questions. In other words, the creator innovates and invents new rules and forms of art. The multiplicity of techniques, languages, and media in contemporary art accurately reflects our own era. Artists seize upon these means of expression to carry us to unknown shores, to introduce us to new territories; they redefine the accepted canons of art in order to – implicitly and explicitly – influence our perception of the world around us. By observing one single rule – that of freedom – contemporary artistic creation has an infinite ability to upset our certainties, to open up new perspectives.

FDC In your opinion how far is it possible for art – and contemporary art in particular – to both express and mould taste?

FP As most commonly understood, taste is the product of a whole mass of determining factors – relating to culture, history and even individual subjectivity. Often, it depends upon conventional criteria, upon a rather lazy and comfortable consensus. And isn't it precisely against such diktats and compromises that art rebels? Art's refusal to submit to the tyranny of taste is expressed most radically in contemporary art; but it has always existed. Look at Giorgione's wonderful painting *La Vecchia* in the Accademia Galleries, which takes as its subject-matter old age and ugliness. It is a painting of great aesthetic achievement, but it certainly does not pander to taste in the commonly-understood sense of the term. If he is to express his own aesthetic sensibility, an art lover must go beyond the ordinary feelings and sentiments prescribed by the dominant notions of taste. And it is one's sensibility and sensitivity that art awakens. If art has one supreme value, it is that it gives us a freer view of things; it liberates our eye. Whilst for so many of us, the perception of works of arts is cluttered up with the deadweight of propriety and decorum, such perception becomes transparent and fluid in artists. They are gifted with a degree of sensibility that enables them to grasp the individuality of beings, the singularity of specific situations. This is why it makes no sense to talk about «converting» someone in the domain of art. Aesthetic judgment rests upon freedom; it is an expression of free will and profound conviction.

FDC Then to what extent can it be an expression of the market, whose mechanisms play a role in facilitating and stimulating changes in tastes, fashions and attitudes?

FP The lover of art decides for himself. An art collection is only possible if driven by authentic passion for and engagement with art, independently of the dictates of the Moment; even if it is true that the dictates of the market do sometimes influence certain collectors' choices and desires (but that has always been the case). Ever since the days of guilds of painters, of the Academy – and nowadays the international art market – there have always been entities that have embodied international recognition. But such officialdom has only rarely been decisive in the history of art. The masterpieces of the past have already been listed and indexed; and for the most part, they are now in museums. And by the way, the aesthetic values of those works was only rarely recognised by the official bodies of their day.

FDC In your opinion, are there characteristics that distinguish the market in contemporary art from the market in works of the distant or recent past?

FP It is true that there has been a certain craze for works of contemporary art, above all in the United States, which is probably to be seen in relation to suddenly-made fortunes. In certain cases, there have been totally irrational leaps in prices. But, from a historical point of view, there are no specific characteristics that distinguish the situation nowadays. When the collection that had belonged to Charles I of England was sold off in 1641 – a sale at which Mazarin was one of the major purchasers – it was an important event, but took place within an enclosed milieu. And later, when the collection of the «la Peau de l'Ours» association was sold in France in 1914, works by Picasso, Bonnard and Van Dongen (among others) achieved record prices for living artists and triggered off the most acrimonious criticism. Nowadays, the very circulation of information gives greater publicity to possible excesses, amplifying their effect. But this is only a supplementary factor, even if the sums involved are substantial ones. I think that someone who buys to invest in art is making a mistake, because art always ends up getting its revenge.

FDC In the past, the great patrons bestowed their favour upon a few chosen artists. In the twentieth century that changed a little: around 1940 Peggy Guggenheim declared her desire «to buy a painting a day», and she would once arrive at a party wearing «one earring by

Tanguy and the one by Calder, to demonstrate my impartiality between Surrealist Art and Abstract Art». Do you see yourself in line with this tradition of the art patron who deals with the veritable Babel of languages in contemporary art by collecting them «all»?

FP Art leaves you free. With art, a person can exercise his ability to think in the singular. One does not have to be exhaustive when one engages with art. My choices reflect my eye and my curiosity; they reflect my own commitments and risks. This is not a collection constructed on the basis of some systematic criteria. The aim is not to moderate the weight of my personal choices by some impossible nuances of balance, by considerations of impartiality or the inclusion of samples of work from each geographical area. If any requirement has been applied it is the need I feel to possess a work that I love. I am interested in new young artists; but at the same time I continue to support artists I have been following for some years.

FDC How does a collector become an art patron? For what reasons, to what ends? With the creation of your Venetian museums of Palazzo Grassi and Punta della Dogana, would you say that you have taken the step from one to the other?

FP I very quickly felt the desire to exhibit the works I loved and had collected, in order to share them with the public. This aim has been achieved here in Venice, at the two wonderful venues of Palazzo Grassi and Punta della Dogana; both of them, admirably restored and restructured by Tadao Ando, are now exhibition centres for works of contemporary art. My wish is to offer the public the chance to assess one particular view of these works and of the relations that exist between them (for all the differences in their date, their cultural origins and the techniques used to make them). This is not a static collection. On the contrary, it is a collection that strives to seize the living reality of a world that is being jolted and unsettled at an ever increasing rate. The collection is exhibited within a dynamic space that is part of the creative process itself – especially when artists are invited to satisfy their need to create in response to a specific encounter with the public. As far as possible, I want to support the artists' desire to draw upon the very circumstances of an exhibition in order to produce works conceived specifically for that occasion – works which will then go on to enrich the collection. If that openness to the actual creation of art is the definition of an art patron, then I have taken the step you refer to.

FDC In creating your two museums you had to make a variety of far from easy choices, the first concerning the city in which they were to be

located. Like Peggy Guggenheim, you opted for Venice, a city of culture but hardly an urban metropolis. Could you explain the reasons behind your choice?

FP Venice belongs to the world. It is itself an act of defiance against the certain and the self-evident. Throughout its entire history it has had to brave the elements. And all of this makes it a city that is both unique and terribly contemporary in spirit. The decision to «moor» my collection here was not intended as a palliative to a situation of stasis – nor was it some banal yielding to the «lure of Venice». A lot of careful thought went into these decisions, first to launch Palazzo Grassi and then to extend this cultural adventure to the Punta della Dogana, which the City Council has entrusted to me. For someone with a passionate interest in art, it is a great privilege to be able to exhibit one's collection at two such exceptional venues. Venice undoubtedly represents the heart of the entire cultural project. However, my aim is also to create a network of temporary initiatives as well. Primarily, these will involve a number of itinerant exhibitions that will draw upon the material in my collections, creating a sort of cultural network through which the works of art will circulate. The choice of Venice was a very contemporary one.

FDC Another, no less striking, decision was the choice of Tadao Ando as architect. How did you meet Ando and how did you reach the decision to commission him to work on the restoration of the two museums – both of them located within old buildings, and thus facing the architect with a working situation which is unusual for him?

FP I have known Tadao Ando and his work for a number of years. We had decided to build a museum together. With his buildings of simple geometric forms in rough concrete, Ando is one of those exceptional architects whose thoughts and ideas have nourished and inspired contemporary architecture. Tadao Ando strives for a new approach, combining the wealth of the Japanese tradition with the developments that have occurred in Western architecture – an approach that aims to bring together individuals and the built environment within which they live. In Venice, where the challenge was to restore and develop historic buildings that were to house works of contemporary art, the choices he made immediately had all the authority of the irrefutable. At both Palazzo Grassi and Punta della Dogana, his subtle alterations work so effectively that one has the impression that these buildings were, from their very construction, intended to house works of art. In Palazzo Grassi, Tadao Ando preserved all the spatial and architectural characteristics of the building; at the same time, he re-thought the exhibition rooms, creating spaces that are naturally at the service of the works of art displayed within them. The hieratic atmosphere he created results in the harmonious co-existence of the different periods that have made their mark on the history of Palazzo Grassi. For Punta della Dogana, he developed a more radical project. The exterior was restored, whilst the interior has literally been recreated, with the «installation» of exhibition galleries that are in keeping with the form and spirit of this exceptional building. Combining terseness and striking visual perfection, the result reveals how deeply his architecture is rooted in both the cultural traditions of Japan and the most demanding lessons of the Modern.

FDC You have said that you can find parallels between what Ando has produced as an architect and the type of art you prefer. Could you explain those parallels?

FP It is not exactly parallels that one should look for, more a state of mind. Great works of art transcend the object that is at their origin to become an expression of the creator's vision, of his «eye». Similarly, great buildings, stripped of the insignificance of derisory details, offer us spaces in which we can enter into communication with the very essence of their existence.

FDC Perhaps the answer is implicit in what you have already said, but could you tell me which characteristics of Ando's work attract you the most? And what are those which, in your opinion, enable him to dominate that Babel of languages which contemporary architecture, like contemporary art, draws upon?

FP Tadao Ando is an architect who loves art. His architecture is pure; it eschews all vanity, all parasitic additions or insignificant details. His is an architecture that is sufficient unto itself. Everything is transformed into the material of the building – including such natural givens as light itself; in his work, this becomes one of the main components of the architectural design. The result is that the worlds Ando creates are atemporal. The spaces invite one to meditate and reflect. These are, in effect, spaces that one might be said to appropriate almost inevitably. Tadao Ando is one of those rare architects who, when dealing with a particular context, natural setting or existing building, manages to efface himself and can thus create (or resuscitate) a masterpiece. He continually draws upon his double heritage: the silent spirituality of the East and the clamorous modernity of the West.

FDC I'd like to ask you three more questions. They involve figures who nourished interests similar to your own. Perhaps this may serve to nuance the easy dichotomy old/contemporary which seems to be at the origin of so many of the erroneous interpretations offered of someone like yourself, who has long been recognized as one of world's most important collectors of contemporary art and who is now also recognized as one of the most generous patrons of the arts. At the dawn of Humanism, artists were not considered as creators set apart in their own right. The real creator was the patron; the artist was nothing but the craft producer of the work. Might one not say that something similar exists nowadays in the relation between the artist and the market – the latter being an expression of the collector's tastes, aims and goals? In your opinion, speaking in general terms or on the basis of your own particular experience, is that also true of architecture?

FP Artists are the sole creators. True, at the dawn of Humanism they lived through commissions and depended upon the protection of their patrons; but that never prevented the greatest amongst them from expressing his vision in complete freedom. That is what distinguishes an artist from a craftsman or artisan. Being a part of the creative process along with an artist never – at least as far as I am concerned – means indicating the path he or she should follow. On the contrary, it means providing them with the means that will enable their art to express itself completely. Throughout the Italian Renaissance, the great patrons were also passionate defenders of the avant-garde in all areas of the arts. Never – or almost never – could one say that a patron was the source of an artist's inspiration. And the same is true of the market nowadays. An artist either has something to say or he doesn't. This is what makes the difference between an artist of genius and other artists. And this argument also applies to architecture, even if it is true that here the patron may give more precise specifications, because by definition a building is built to serve a purpose. Architecture is an art of constraints. Intimately bound up with a specific context, a specific end-use, it must engage with the obligations imposed by the existing heritage, by the urban landscape and fabric which the building must become a part of. It is a discipline which requires great theoretical knowledge and great practical know-how. And it is precisely these constraints that are at the origin of masterpieces. As Vitruvius said, the architect of genius is he who can subtly reconcile research and constraints in order to come up with new forms suitable to their purpose. Here again, the patron accompanies the artist.

FDC According to E.S. Welch, at the beginning of the fifteenth century Filarete explained the relations between patron and architect by means of a virtual family comprising «father-patron», «mother-architect» and «child-building». Do you think this schema is still valid?

FP This virtual family made the Italy of the Renaissance. It embodies the Golden Age of Architecture, when the favour and desires of princes enabled architects to acquire an important social function within a changing social environment. It is also a good expression of that metaphor of the building as a body, which was so characteristic of Humanist architecture. And I don't need to remind you that Filarete himself defined the architect as a «thinking draughtsman».

FDC Giovanni Rucellai, patron of Leon Battista Alberti, would give a very effective account of the aims of a patron in his Zibaldone: «There are two main things which men do in this world. The first is to invent and create. The second is to build». To what extent would you say you belong to the category of men driven by these goals?

FP I have always thought that the sole measure that distinguishes the possible from the impossible is human will. What I, with the means at my disposal, am trying to do is awaken the public's awareness and vision of the era in which they live. And I do that through the exhibition of the collection that I have put together. I hope that anyone visiting Palazzo Grassi or Punta della Dogana will be touched by some of the works, even just one work. And that the memory of that piece will stay with them, stirring a desire to know more about it. Is that creating or building? It will be the future that decides.

FRANCESCO DAL CO
QUINZE QUESTIONS.
FRANÇOIS PINAULT
QUINZE RÉPONSES.

FRANCESCO DAL CO Vous êtes un entrepreneur à succès. Votre activité de collectionneur connaît, elle aussi, un vaste succès. Comment dialoguent ces deux facettes de votre vie et comment a débuté cette passion pour l'art contemporain?

FRANÇOIS PINAULT La passion de l'art m'a saisi il y a une quarantaine d'années, lorsqu'au gré d'une visite dans une galerie d'art j'ai vu un tableau de Paul Sérusier qui m'a touché et que j'ai acheté. Depuis, mon œil s'est exercé et je me suis progressivement intéressé aux créations de mon temps. La fréquentation de l'art rappelle l'éclat et la fragilité de la vie. Une œuvre d'art est l'expression d'une intelligence créatrice consciente qui repousse en permanence les limites qu'on s'impose, ou pour le dire autrement, qui nous sort de la torpeur tranquille de nos habitudes. La puissance d'une œuvre d'art est le produit d'une expression libre de toute contrainte utilitaire. Cela a toujours été mon approche de l'art. Elle me conduit à faire des choix et à prendre des risques. Il est vrai aussi que dans la vie d'un entrepreneur, la remise en cause et la prise de risque sont omniprésentes. Reste que dans le domaine de l'art l'émotion est primordiale, alors que dans les affaires elle est généralement considérée comme un sentiment suspect.

FDC Votre intérêt pour l'art se limite-t-il aux productions d'art contemporain? Y a-t-il des aspects de l'art du passé qui vous fascinent et qui vous ont poussé à consacrer votre attention à l'art actuel, un art dont vous pouvez suivre l'évolution?

FP Je considère qu'il n'y a pas de césure dans l'art. Les artistes contemporains méritent qu'on s'attarde à leur travail autant qu'à celui de leurs illustres prédécesseurs. Comme le dit Hannah Arendt, l'œuvre d'art s'installe dans une immortalité potentielle. Lorsque j'ai commencé à collectionner, je me suis d'abord intéressé aux artistes de la fin du XIXème siècle avant de découvrir l'abstraction qui m'a ouvert d'autres territoires. Aussi c'est tout naturellement que je me suis tourné vers l'art de mon temps et le processus créatif contemporain. La création contemporaine a, de tout temps, suscité la perplexité, voire le rejet. En règle générale, le goût du public l'incite à se diriger plus volontiers vers ce qui est rassurant. C'est inévitable, dès lors que la modernité se manifeste comme une succession de ruptures. Ce sont ces ruptures qui m'intéressent.

FDC Plus qu'à toute autre époque, la production artistique tend aujourd'hui à s'exprimer en ayant recours à des moyens, à des techniques et des langages si différents qu'ils en deviennent presque babéliens, inaptes à communiquer. Quels sont les aspects de cette création contemporaine qui attisent le plus votre curiosité de collectionneur?

FP Une œuvre d'art ne s'apprécie pas à travers son seul médium qui est sa forme contingente. C'est la vision et l'inspiration de l'artiste qui sont déterminantes. C'est ce qui sépare le suiveur du créateur. Le suiveur a certes du talent, mais c'est surtout ce qui résulte d'une application bien maîtrisée des règles de l'art. Le créateur, quant à lui, est une fontaine inépuisable d'inspiration, il abonde d'idées, de formes ou d'images et c'est ce qui suscite l'enthousiasme, l'éblouissement et l'interrogation. En d'autres termes, le créateur innove et invente des règles et des formes nouvelles dans l'art. La multiplication des techniques, des langages, des supports et des moyens d'expression, reflète bien par ailleurs notre époque. Les artistes s'en emparent pour nous emmener vers de nouveaux rivages, vers des territoires inconnus, pour redéfinir les canons convenus de l'art, et pour influencer explicitement et implicitement la perception du monde qui nous entoure. De ce point de vue, la création contemporaine possède une capacité infinie à bousculer les certitudes et ouvrir des perspectives nouvelles, avec pour seule règle, la liberté.

FDC Dans quelle mesure, selon vous, l'art, et plus particulièrement l'art contemporain, peut-il être à la fois expression du goût et formateur du goût?

FP Dans le sens le plus communément partagé, le goût est le produit d'un empilement de déterminismes: déterminisme culturel, déterminisme historique, ou tout simplement déterminisme lié à la subjectivité individuelle. Souvent, il repose sur des critères convenus, sur des consensus confortables et un peu paresseux. Or, l'art ne se rebelle-t-il pas justement contre les diktats et les compromis. Son insoumission à la tyrannie du goût s'exprime de manière plus radicale encore dans l'art contemporain, même si elle a, au fond, toujours existé. Prenez *La Vecchia*, œuvre magnifique de Giorgione à l'Académie, dont le sujet est la vieillesse et la laideur. C'est un tableau d'une grande valeur esthétique, mais elle ne flatte pas le goût dans le sens commun du terme. Un amateur d'art doit dépasser les sentiments ordinaires qui s'attachent au goût dominant pour exprimer sa propre sensibilité esthétique. C'est bien la sensibilité que l'art éveille. Si l'art a une valeur suprême, c'est bien celle de rendre le regard plus libre encore. Là où la perception des œuvres est encombrée, chez beaucoup de nos semblables, par le poids des convenances, elle devient transparente et fluide chez l'artiste. Il est doté de ce surplus de sensibilité qui lui permet d'appréhender l'individualité des êtres et la singularité des situations. Pour ces raisons, il n'y a pas de sens à vouloir convertir autrui dans l'ordre esthétique. Le jugement esthétique relève du domaine de la liberté, du libre-arbitre et de la conviction profonde.

FDC Mais alors, dans quelle mesure peut-il être l'expression d'une fonction de marché qui accompagne et sollicite la transformation des goûts, des modes et des mentalités?

FP L'amateur d'art se détermine librement. Une collection d'art ne peut se faire que mue par un engagement et une passion authentique pour l'art, indépendamment de la dictature de l'Instant, même si parfois les prescriptions du marché influencent les choix et les désirs de certains. Cela a toujours été le cas. Depuis les corporations des peintres, les Jury académiques et aujourd'hui le marché de l'art, il y a toujours eu des instances de reconnaissance officielles. Mais cette fonction n'a que rarement fait l'histoire de l'art. Les chefs d'œuvre du passé sont d'ores et déjà répertoriées et pour la majorité dans les musées. Au passage, la valeur artistique de ces œuvres ont rarement été reconnues par les instances officielles à leur époque.

FDC Le marché de l'art contemporain comporte-t-il, selon vous, une spécificité qui le distingue du marché des œuvres du passé, proche et lointain?

FP Il est vrai qu'il y a eu un emballement autour des œuvres d'art contemporain, notamment aux Etats-Unis, qui a été probablement lié à l'émergence des fortunes rapides. On a, dans certains cas, constaté des surenchères irrationnelles. Mais, d'un point de vue historique, il n'y a pas de spécificité propre à la situation d'aujourd'hui. La vente de la collection du roi Charles 1er d'Angleterre en 1641 dont Mazarin a été l'un des plus grands acheteurs, a été un événement d'importance, dans un milieu fermé. Plus tard, la vente de la collection de l'association «la Peau de l'Ours» en France en 1914, où un groupe d'amateurs avaient réuni entre autres des Picasso, Bonnard, Van Dongen, a atteint un record absolu pour des artistes vivants, provoquant les critiques les plus acerbes. Aujourd'hui la circulation de l'information donne un écho plus grand aux éventuels excès. Elle en amplifie l'effet. Mais il s'agit là d'une dimension accessoire même si les sommes en jeu sont d'importance. Je considère que celui qui investit dans l'art se trompe, car l'art finit par se venger.

FDC Par le passé, les grands mécènes accordaient leurs faveurs à quelques artistes choisis. Au XXème siècle, cela a un peu changé. Vers 1940, Peggy Guggenheim déclara «vouloir acheter un tableau par jour» et se présenta à une fête portant «une boucle d'oreille de Tanguy et l'autre de Calder, pour démontrer son impartialité entre l'art surréaliste et l'art abstrait». Vous situez-vous, de quelque façon, dans la lignée de cette tradition qui a modelé le profil du mécène, qui affronte aujourd'hui la Babel des langages en les collectionnant «tous»?

FP L'art laisse libre. Avec l'art, l'homme éprouve sa capacité à penser le singulier. S'engager dans l'art n'est pas prétendre à l'exhaustivité. Mes choix reflètent mon regard, ma curiosité, mes engagements et les risques que je prends. Ce n'est pas une collection construite selon un propos systématique. L'idée n'est pas de modérer la force de mes choix par d'impossibles nuances d'équilibre ou par des considérations d'impartialité ou d'échantillonnages géographiques. Aucune nécessité particulière ne s'y applique sinon celle de posséder une œuvre que j'aime. Je m'intéresse aux jeunes artistes tout en continuant à soutenir les artistes que je suis depuis longtemps.

FDC Comment survient la transformation de collectionneur en mécène? Pour quelles raisons, ou à quelles fins? Avec la réalisation de vos musées vénitiens, Palazzo Grassi et Punta della Dogana, vous semble-t-il avoir franchi ce pas?

FP J'ai très rapidement eu le désir de montrer pour partager avec le public les œuvres que j'aimais et que je rassemblais. Ce projet a vu le jour à Venise sur ces deux sites prestigieux que sont le Palazzo Grassi et la Punta della Dogana qui ont été admirablement restaurés et aménagés par Tadao Ando pour accueillir des œuvres d'art contemporains. Mon souhait est de proposer au discernement du public un point de vue sur ces œuvres, les relations qu'elles entretiennent entre elles au-delà des décennies qui les ont vues naître, de la diversité des situations culturelles dont elles témoignent, et des techniques qui les caractérisent. Ce n'est pas une collection statique. Au contraire, c'est une collection qui tend à capter les réalités vivantes d'un monde bousculé à un rythme de plus en plus rapide. La présentation de cette collection s'inscrit dès lors dans l'espace dynamique du processus créatif, notamment lorsque l'artiste est invité à confronter son besoin de créer à la rencontre provoquée d'un public. Je souhaite soutenir, autant que possible, le désir des artistes de s'appuyer sur les circonstances mêmes d'une exposition pour concevoir des œuvres qui lui sont spécifiquement destinées et qui viendront enrichir la collection. Si la définition du mécénat est cette disponibilité à l'égard des projets artistiques, alors j'ai franchi le pas.

FDC Afin de réaliser vos deux musées, vous avez dû accomplir des choix pour le moins difficiles et, en tout premier lieu, celui de la ville où les instaurer. Vous avez élu, comme Peggy Guggenheim, Venise, une métropole de la culture, certes, mais pas une métropole urbaine. Pouvez-vous m'expliquer les motivations qui vous ont poussées à choisir cette ville?

FP Venise appartient au monde. C'est un défi aux certitudes et aux évidences. Son histoire ne cesse de braver le temps. Ce qui en fait une ville unique et terriblement contemporaine dans l'esprit. L'«amarrage» de ma collection à Venise n'était pas un palliatif à une situation bloquée, ni la manifestation d'une banale «tentation de Venise»; mais une décision délibérée de construire à partir de Palazzo Grassi une nouvelle aventure culturelle qui s'appuie désormais aussi sur la Punta della Dogana, dont la municipalité de Venise m'a confié la responsabilité. Pour un passionné d'art, c'est un immense privilège que de pouvoir présenter sa collection sur deux sites aussi exceptionnels. Venise certes représente le cœur de mon projet culturel, mais mon objectif est aussi de déployer un réseau d'initiatives temporaires en encourageant notamment des expositions itinérantes de ma collection pour former une toile culturelle dans laquelle les œuvres circuleront. C'est un choix contemporain.

FDC Un autre choix, non moins évident, est d'avoir élu Tadao Ando comme architecte. Comment avez-vous connu Ando et comment la décision a-t-elle vu le jour, de lui confier la restauration de ces deux musées, tous deux contenus dans des édifices anciens, le confrontant ainsi à des conditions de travail inhabituelles?

FP Je connais Tadao Ando et son travail depuis de nombreuses années. Nous avions décidé ensemble de construire un musée. Avec ses bâtiments en béton brut aux formes géométriques simples, Tadao Ando s'inscrit dans la lignée des architectes d'exception dont la pensée nourrit et inspire les constructions contemporaines. Tadao Ando cherche à tracer une voie nouvelle, issue de la fusion entre la richesse de la tradition japonaise et l'évolution moderne occidentale, qui réconcilierait l'individu et son environnement. A Venise, où le défi était de restaurer et d'aménager des bâtiments historiques pour abriter l'art contemporain, le choix de Tadao Ando s'est imposé comme une évidence. Il a réalisé à la fois au Palazzo Grassi et à la Punta della Dogana, un cadre efficace, subtilement aménagé, de sorte qu'on a l'impression que ces édifices étaient destinés, dès leur construction, à abriter des œuvres d'art. Au Palazzo Grassi, Tadao Ando a préservé tous les repères spatiaux et architecturaux de l'édifice tout en repensant les salles d'expositions, de sorte qu'elles se mettent naturellement au service des œuvres d'art. L'atmosphère hiératique qu'y a créé Ando permet la cohabitation très harmonieuse des différents temps qui ont marqué l'histoire du Palazzo Grassi. Pour la Punta della Dogana, il a développé un projet radical. L'extérieur est restauré, l'intérieur a été littéralement recréé avec l'insertion des galeries d'exposition qui épousent la forme et l'esprit de ce bâtiment exceptionnel. Il conjugue ainsi la perfection visuelle au dépouillement le plus total qui exprime dans le même temps l'enracinement de sa pratique architecturale dans les traditions culturelles du Japon et les leçons de modernité les plus exigeantes.

FDC Vous avez avoué trouver des analogies entre ce qu'Ando produit en tant qu'architecte et l'art auquel vous réservez vos préférences. Pourriez-vous les expliquer?

FP Ce n'est pas exactement l'analogie qu'il faut rechercher mais un état d'esprit. Les grandes œuvres transcendent l'objet même dont elles se nourrissent pour se métamorphoser en l'expression du regard et de la vision du créateur. De même, les grands bâtiments, libérés de l'insignifiance de détails dérisoires, offrent des espaces qui permettent la communion avec l'essence même de leur existence.

FDC Peut-être est-ce implicite dans vos réponses précédentes, mais pourriez-vous me dire quelles sont les caractéristiques du travail d'Ando qui vous attirent le plus et quelles sont celles qui, selon vous, lui permettent de s'imposer à la Babel des langages qu'utilise, au même titre que l'art contemporain, l'architecture contemporaine?

FP Tadao Ando est un architecte qui aime l'art. Son architecture est pure, et dénuée de toute forme de vanité, de toute addition parasite, et de tout détail insignifiant. L'architecture d'Ando se suffit à elle-même. Il transforme tout en matériau, y compris les données naturelles comme la lumière qui devient chez lui une composante architecturale majeur. De sorte que les univers d'Ando sont intemporels. Les espaces qu'il crée invitent à la méditation et à la réflexion. Ce sont des espaces qu'on s'approprie presque naturellement. Tadao Ando est l'un des rares architectes qui s'efface devant un contexte, une nature, ou un édifice existant pour créer ou ressusciter des chefs d'œuvre. Il n'a de cesse de se nourrir de sa double culture; la spiritualité silencieuse asiatique et la modernité bruyante occidentale.

FDC Je voudrais vous poser encore trois questions qui pourraient vous apparaître étranges car elles s'adressent à un collectionneur qui consacre toute son attention à l'art de ses contemporains. Les personnes que ces demandes impliquent nourrirent pourtant un intérêt similaire au vôtre. Ceci pourra peut-être concourir à mieux relativiser la facile dichotomie ancien/contemporain à l'origine de beaucoup de fausses interprétations lorsque l'on interroge un personnage tel que vous, depuis longtemps reconnu comme l'un des plus grands collectionneurs d'art contemporain au monde et, maintenant également, l'un des mécènes les plus généreux. A l'aube de l'Humanisme, les artistes n'étaient pas considérés comme des auteurs à part entière; le vrai créateur était le mécène, l'artiste n'était que l'artisan de l'œuvre. Peut-on dire qu'il en est encore de même aujourd'hui dans le rapport liant l'artiste et le marché, ce dernier étant l'expression des goûts, des finalités et des objectifs du collectionneur? Et, selon vous, si l'on parle d'architecture, cela vaut-il encore, que ce soit en général ou dans le particularisme des expériences que vous avez vécues?

FP Les artistes sont les seuls créateurs. Il est vrai qu'à l'aube de l'humanisme, ils vivaient des commandes et de la protection de leurs mécènes, mais cela ne les a jamais empêchés, pour les plus grands d'entre eux, d'exprimer leur vision en totale liberté. C'est ce qui distingue les artistes des artisans. Les accompagner dans le processus créatif ne veut pas dire, de mon point de vue en tout cas, leur indiquer la marche à suivre. Au contraire, il s'agit de leur donner les moyens pour que s'épanouissent leurs expressions artistiques propres. Durant toute la Renaissance italienne, tous les grands mécènes étaient des défenseurs passionnés de l'avant-garde artistique dans tous les domaines. Un mécène n'a jamais, ou pratiquement jamais, été à l'origine de l'inspiration de l'artiste, ni le marché aujourd'hui. L'artiste a ou n'a pas quelque chose à dire. C'est ce qui fait d'ailleurs la différence entre les artistes de génie et les autres. Ce raisonnement vaut aussi pour l'architecture même si dans ce cas, le maître d'œuvre donne un cahier des charges plus précis, car un édifice a par définition une finalité. L'architecture est un art de contraintes qui est intimement lié à un contexte, celui de son usage, celui des contraintes patrimoniales, celui du tissu et du paysage urbain dans lequel il s'intègre. C'est une discipline qui exige à la fois une grande connaissance théorique et un savoir-faire pratique. Ce sont précisément ces contraintes qui sont à l'origine des chefs d'œuvres. Comme disait Vitruvio, l'architecte de génie est celui qui réussit à concilier subtilement la recherche et les contraintes pour inventer des formes nouvelles et adaptées. Là encore, le mécène l'accompagne.

FDC D'après E.S. Welch, au début du XVème siècle, Filarete, pour expliquer les rapports qui lient le mandataire à l'architecte, a créé une famille virtuelle avec le «père-mécène», la «mère-architecte» et le «fils-édifice»: considérez vous que cette représentation soit encore valable?

FP Cette famille virtuelle a fait l'Italie de la Renaissance. Elle incarne l'âge d'or de l'architecture, où par la grâce et le désir des grands princes, les architectes ont accédé à une importante fonction sociale dans un environnement en mouvement. Elle exprime aussi très bien la métaphore de l'édifice comme corps, si caractéristique de l'architecture humaniste. Je vous rappelle que le même Filarete définissait surtout l'architecte comme «un penseur dessinant».

FDC Giovanni Rucellai, le mandataire de Leon Battista Alberti exprime de façon efficace dans le Zibaldone quelles sont les fins que recherche le mécène: «Il existe deux choses principales que font les hommes dans ce monde. La première est inventer. La seconde est édifier». Dans quelle mesure pensez-vous appartenir à la catégorie des hommes mus par de tels objectifs?

FP J'ai toujours pensé que la seule mesure entre le possible et l'impossible est la volonté d'un homme. Ce que je recherche, dans la mesure de mes moyens, est d'éveiller la conscience et le regard du public sur son temps, à la faveur de la présentation de la collection que je rassemble. Je souhaiterais que quiconque visite Palazzo Grassi ou Punta della Dogana soit touché par une œuvre, même une seule, dont il conserverait le souvenir et que ce souvenir fasse naître en lui le désir d'en savoir plus. Est-ce que c'est inventer ou édifier? C'est à l'avenir de juger.

FRANCESCO DAL CO
QUATTORDICI DOMANDE.
TADAO ANDO
QUATTORDICI RISPOSTE.

FRANCESCO DAL CO **In quale occasione ha conosciuto François Pinault e quali sono stati gli incarichi che lei ha ricevuto da lui? Prima di partecipare al concorso per la costruzione del Centro d'arte contemporanea della Fondation François Pinault sull'Île Seguin a Parigi nel 2001 lei già lo conosceva?**

TADAO ANDO Nel 1996 lo stilista Karl Lagerfeld mi chiese di progettare il suo atelier e la sua abitazione privata a Biarritz. Lagerfeld è un «artista» molto interessante e determinato. La seconda volta che l'ho incontrato mi ha chiesto se fossi disposto a progettare una cantina vinicola a Château La Tour, di proprietà di François Pinault. Anche se alla fine il progetto non è andato in porto perché il restauro della cantina non è stato approvato a causa di alcuni vincoli giuridici, in quell'occasione conobbi Pinault. Poco dopo si è svolto il concorso internazionale per la progettazione della Fondation François Pinault pour l'Art Contemporain sull'Île Seguin al quale ho partecipato con Jean Nouvel, Rem Koolhaas e Steven Holl. Ho avuto la fortuna di vincere il concorso e ho lavorato al progetto assieme a Pinault.

FDC **In che maniera le complesse vicende collegate alla mancata realizzazione del suo progetto per l'Île Seguin hanno influenzato il suo rapporto con Pinault?**

TA Il progetto per l'Île Seguin è stato abbandonato a causa delle incertezze circa i tempi di realizzazione, dovute ai problemi amministrativi connessi alla costruzione di una strada e di un ponte che dovevano raggiungere l'isola e l'infrastruttura. Dal momento che la responsabilità di quanto accaduto non era né di Pinault né nostra, la mancata realizzazione del progetto non ha influito negativamente sul nostro rapporto e Pinault mi ha invitato a progettare il restauro di Palazzo Grassi a Venezia appena due settimane dopo l'annullamento del progetto per l'Île Seguin.

FDC **Dopo che Pinault decise di acquisire Palazzo Grassi quali sono state le linee guida del suo progetto di riforma del palazzo? Quanto ha realizzato all'interno di Palazzo Grassi in che relazione si pone con ciò che ha progettato per l'adiacente «teatrino», che rappresenta un'«appendice» significativa dell'edificio originario costruito da Giorgio Massari?**

TA Il restauro è iniziato nell'estate del 2005 e Palazzo Grassi è stato riaperto al pubblico nella primavera del 2006. Il progetto mirava a rimodernare un edificio del Settecento per convertirlo in un museo d'arte contemporanea, dove, secondo quanto richiesto da Pinault, avrei dovuto realizzare interventi minimi. Dati i vincoli, ho eliminato decorazioni che erano state aggiunte nel corso di precedenti restauri per ripristinare la struttura originaria di Giorgio Massari e ho aggiunto una quantità minima di elementi nuovi. Elaborando il progetto mi sono attenuto al tema dello scontro e dell'incontro fra vecchio e nuovo, tra architettura storica e arte contemporanea. Il «teatrino» è un progetto collaterale e la struttura restaurata sarà impiegata come galleria d'arte e sala conferenze. Ma da quando sono iniziati i lavori a Punta della Dogana abbiamo temporaneamente sospeso lo sviluppo di questo progetto.

FDC **I lavori che Pinault le ha affidato a Venezia sono di natura diversa da quella che caratterizza gran parte delle sue costruzioni. Se non sbaglio, prima di intervenire a Palazzo Grassi lei ha avuto soltanto un'occasione di intervenire in un edificio antico, ovvero quando ha realizzato il complesso Fabrica per Benetton, vicino a Treviso, tra il 1992 e il 2000. Le preesistenze storiche da conservare di questa occasione erano però assai meno significative di quelle con cui si è dovuto confrontare a Venezia, lavorando a Palazzo Grassi e a Punta della Dogana. Può spiegare quali sono state le diverse strategie che ha adottato in queste circostanze? Può parlare delle decisioni più importanti che ha assunto nell'affrontare i lavori che ha completato a Venezia? In che misura queste decisioni sono rappresentative dei modi che lei ritiene sarebbe opportuno gli architetti contemporanei adottassero allorché vengono chiamati a intervenire in edifici storici? Infine: sino a che punto l'esperienza che ha potuto compiere costruendo il complesso di Fabrica ha dato nuovi frutti con i lavori portati a termine a Palazzo Grassi e a Punta della Dogana, dove, se non sbaglio, lei si è avvalso nuovamente degli specialisti, dei tecnici e dei collaboratori conosciuti lavorando per Benetton?**

TA Su invito di Luciano Benetton ho visitato la sede di Fabrica per la prima volta nel 1992. Scopo di questo progetto era rimodernare e restaurare gli esterni di un'antica villa palladiana edificata nel XVII secolo per convertirla in una scuola d'arte per giovani studenti provenienti da tutto il mondo. Prima di elaborare quello per Fabrica, avevo lavorato ad alcuni progetti di ristrutturazione in Giappone. Uno di questi è stato il progetto Nakanoshima, che prevedeva il restauro della «Sala pubblica di Nakanoshima», costruita più di novant'anni fa nel centro di Osaka sul delta del fiume Dojima. Il progetto, concepito come un simbolo di un «nuovo inizio», prevedeva l'inserimento all'interno del vecchio edificio di una sala dall'astratta forma ovale ma organica chiamata «Urban Egg». Purtroppo il progetto non è stato realizzato, ma io continuo a sostenere che sarebbe opportuno rimodernare quest'isola attraverso una serie di interventi, facendo ricorso a mezzi espressivi diversi. Inoltre ho anche curato alcuni progetti di restauro di edifici storici tra cui il Museo della Villa Oyamazaki a Kyoto e la Biblioteca internazionale di letteratura per l'infanzia di Tokyo, dove mi sono confrontato con il tema del dialogo fra storia e modernità. Tanto il restauro di Palazzo Grassi quanto quello di Punta della Dogana sono stati resi possibili dall'orgoglio degli italiani e dal loro legame con la tradizione e la storia, e io in queste occasioni ho cercato di creare nuovi spazi in grado di dialogare con gli edifici storici preesistenti, come è stato anche il caso di Fabrica. Anche in questo caso ho dedicato molta attenzione all'interpretazione e comprensione della storia locale.

FDC **Quali sono le differenze più significative che ritiene distinguano gli approcci progettuali adottati nel riformare Palazzo Grassi e nel riconfigurare il complesso di Punta della Dogana?**

TA Con il restauro di Palazzo Grassi ho tentato di creare un nuovo mondo entro i limiti della struttura dell'edificio preesistente, riconducendolo al suo stato originale e valorizzando lo spazio con una quantità minima di aggiunte. Restaurando Punta della Dogana, invece, in certa misura potevo muovermi con maggiore elasticità progettando nuovi spazi. Così mi sono prefisso lo scopo di generare uno scontro eloquente fra vecchio e nuovo inserendo all'interno della struttura esistente uno spazio racchiuso tra mura di cemento: un atto, questo, che evidenzia le stratificazioni storiche di cui l'edificio è il prodotto rendendone chiara e comprensibile la storia invece di occultarla.

FDC **Nel progettare il Centro di Punta della Dogana qual è stato l'aspetto dell'antico edificio che lei ha inteso valorizzare maggiormente?**

TA Quello di Punta della Dogana è stato in effetti un progetto molto impegnativo a causa dei rigidi vincoli imposti al restauro, ma ora sono convinto che sia stato per me una stimolante occasione per tentare di realizzare uno spazio caratterizzato da uno spirito nuovo all'interno di un edificio antico.

FDC **Progettando il Centro di Punta della Dogana lei non sapeva quali opere d'arte vi sarebbero state esposte. Probabilmente conosceva la collezione di Pinault, ma non sapeva quali pezzi erano destinati a venire messi in mostra a Venezia. Trattandosi di opere d'arte contemporanea penso fosse facile immaginare che si sarebbe trattato di «oggetti» assai diversi l'uno dall'altro, per nulla dire delle loro dimensioni e delle tecniche impiegate per realizzarli. In che misura ciò ha influenzato le sue scelte progettuali? Sino a che punto gli spazi espositivi che lei ha configurato vivono in maniera indipendente da quanto vi verrà presentato?**

TA   Noi non siamo stati informati in anticipo riguardo al programma dettagliato predisposto per le opere d'arte da esporre, ma progettare gli spazi espositivi non è stato un problema poiché sapevamo che vi sarebbero state messe in mostra opere di importanti artisti contemporanei quali Jeff Koons, Damien Hirst e Hiroshi Sugimoto.

FDC   In termini più generali, anche tenendo conto del fatto che lei ha già avuto diverse occasioni di progettare musei destinati ad accogliere opere d'arte contemporanea: sino a che punto lei ritiene che la sua architettura sia in grado di dialogare con le manifestazioni a noi più prossime della sperimentazione artistica? Lei predilige l'impiego di pochi e selezionati materiali; il cemento a vista lisciato e lucido è una cifra delle sue costruzioni; l'arte contemporanea invece utilizza materiali molto diversi e media di diversa natura, tende a una spazialità che si dilata sino a invadere, in alcuni casi, il campo proprio dell'architettura. Come percepisce questo contrasto e come a esso reagisce?

TA   Dall'inserimento nella mia architettura di opere d'arte contemporanea – entità del tutto autosufficienti – nascerà uno spazio dotato di accentuata vitalità. A mio avviso questa «alchimia» risulta tanto più evidente e penetrante quando coinvolge progetti di restauro di edifici di valore storico.

FDC   Lei ritiene vi siano dei punti di contatto e di scambio tra ciò che gli artisti contemporanei sperimentano e quanto fanno oggi gli architetti? Se così fosse saprebbe indicarli? Potrebbe parlarne facendo riferimento specifico al suo lavoro?

TA   Io tento sempre di osservare nuove opere d'arte e di confrontarmi con esse. In particolare, cerco di essere aggiornato circa le ultime creazioni di artisti molto rappresentativi della nostra epoca quali Jeff Koons e Damien Hirst. Le loro idee sono davvero audaci e per me rappresentano sempre uno stimolo. Sono molti i punti di contatto fra l'arte e l'architettura contemporanee, e il primo è che entrambe sono attività oltremodo intellettuali e creative. Nondimeno, devo anche riconoscere che tra di esse vi è un profondo abisso.

FDC   La sua architettura sembra nascere dalla rimozione della paura della ripetizione e privilegia la stabilità dei valori, anche dei valori tattili e visivi. Sembrerebbe l'esatto opposto di ciò che si osserva in un museo dedicato all'arte contemporanea e di quanto costituisce la spina dorsale della collezione Pinault.

TA   Nel progettare un museo non miro a creare uno spazio adatto a esporre l'arte contemporanea in generale. Come accennavo prima, l'arte contemporanea eccellente è un'entità autosufficiente che crea il proprio mondo. Per provocare uno scontro fra l'arte e la mia architettura, io ho cercato di progettare il museo in modo che a sua volta esista come un'entità distinta, in conformità con la mia sensibilità. Credo infatti che la collisione di diversi punti di vista in uno stesso luogo possa produrre un'esperienza culturale inedita.

FDC   Sino a che punto lei condivide gli interessi di un collezionista appassionato quale François Pinault? Quali sono le ragioni per le quali ritiene che un simile collezionista l'abbia eletto a suo architetto preferito?

TA   Non so se sono l'«architetto preferito» di Pinault, ma ho la sensazione che lui si trovi al culmine della sua vita. Mi sento molto affine alla sua mentalità, che lo spinge a tentare senza sosta di creare con passione un mondo nuovo. Abbiamo in comune questa tendenza a perseguire con costanza i nostri obiettivi.

FDC   Pongo anche a lei una domanda che ho rivolto a Pinault. Secondo E.S. Welch, nella prima metà del Quattrocento Filarete, spiegando quali rapporti leghino il committente all'architetto, «ha creato una famiglia virtuale col padre-mecenate, la madre-architetto e il figlio-edificio»: lei ritiene che questa rappresentazione del rapporto committente-architetto sia ancora valida?

TA   Sì. Penso proprio che la rappresentazione della «famiglia» descritta da Filarete sia valida ancora oggi. L'edilizia comporta senza dubbio un processo collaborativo fondato sulla comunicazione, sul rispetto e sulla fiducia. Ma più che al «modello familiare» moderno composto da padre, madre e figlio, io penso a una definizione basata su una concezione più estesa del «nucleo familiare», in cui bisognerebbe far rientrare i nonni, i cugini e gli amici: il committente e l'architetto non possono «procreare» un edificio da soli.

FDC   Giovanni Rucellai, il committente di Leon Battista Alberti, nello Zibaldone, definisce efficacemente quali sono gli scopi che muovono il mecenate: «Due cose principali sono quelle che gl'uomini fanno in questo mondo. La prima è lo 'ngienerare. La seconda l'edificare». Lei ritiene che esistano ancora uomini mossi da questi fini?

TA   Purtroppo oggi in molti la passione e le pulsioni si sono affievolite, e non credo che questa classica definizione di Leon Battista Alberti rispecchi i caratteri ottusi dell'epoca contemporanea. Personalmente ritengo che la progettazione architettonica sia un processo di creazione di mondi nuovi. È un processo che riflette la propria natura. L'architettura non è né un genere di consumo, né un mezzo per sostenere l'economia: è di fatto un'espressione dell'autentico bisogno umano di creare.

FDC   Un'ultima curiosità: tra le opere che ha realizzato a Punta della Dogana lei ha inserito una vera e propria citazione. Si tratta delle cancellate per le aperture affacciate sul Canal Grande e sul canale della Giudecca che ha disegnato come vere e proprie copie di quella che Carlo Scarpa ha realizzato per il negozio Olivetti in piazza San Marco. Quale la ragione di questo esplicito omaggio a Scarpa?

TA   Carlo Scarpa è stato un architetto rivoluzionario perché ha creato la sua architettura in modo molto colto, selettivo e sensibile. Impiegando con efficacia materiali tradizionali italiani come il marmorino, la pietra e il ferro e servendosi di artigiani, ha tentato di creare opere nuove. Senza trascurare il passato, Scarpa ha conservato con perizia le diverse stratificazioni della storia e in modo quanto mai creativo e colto si è richiamato al passato e finanche ad altre culture con citazioni e rimandi. Com'è noto, Scarpa nutriva un profondo interesse per la cultura e l'architettura del Giappone, che a mio avviso nella sua opera cita con grande maestria. Questa ammirazione è in un certo senso analoga a quella che io provo nei confronti dell'architettura e delle città italiane. Inoltre,
Scarpa conosceva molto bene gli aspetti tecnici dell'architettura e impiegò in maniera selettiva una vasta gamma di materiali e tecnologie. Le porte del negozio Olivetti volevano dimostrare le capacità e le qualità degli artigiani italiani. Ho studiato e assimilato l'architettura di Scarpa e per queste ragioni ho citato la sua maniera di costruire un mondo nuovo rendendo omaggio al suo atteggiamento nei confronti dell'architettura.

FRANCESCO DAL CO
FOURTEEN QUESTIONS.
TADAO ANDO
FOURTEEN ANSWERS.

FRANCESCO DAL CO You are an architect of some renown, can you tell us how you first met Francois Pinault? And what works did he commission from you? Did you know him before you took part in the competition for the construction of the Centre of contemporary art on the Île Seguin in Paris in 2001?

TADAO ANDO In 1996, I was commissioned by the fashion designer Karl Lagerfeld to design his studio and private house in Biarritz. He is a very interesting «artist» with a strong will. When I met him for the second time, he asked me if I was interested in designing a winery in Château La Tour owned by Mr. François Pinault. Even though unrealized, since the renovation of the winery was not allowed due to legal restrictions, this project was an opportunity to get to know Mr. Pinault. Soon after, an international competition to design the Fondation François Pinault pour l'Art Contemporain in the Île Seguin was held and I participated besides Jean Nouvel, Rem Koolhaas, and Steven Holl. Fortunately I won and proceeded with the project with Mr. Pinault.

FDC How did the complex story of the failure to carry out your project for the Île Seguin influence your relationship with Pinault?

TA The abandonment of the project for the Île Seguin was due to uncertainties on the execution schedule for the project, caused by some administrative problems of adjustment regarding the construction of a road and bridge to the island and the infrastructure. Since it was neither Mr. Pinault's nor our fault, there was no negative influence on our relationship and thus Mr. Pinault generously invited me to design the Palazzo Grassi renovation in Venice, just two weeks after the cancellation of the project in the Île Seguin.

FDC After François Pinault decided to acquire Palazzo Grassi, what were the guidelines for your project for the refurbishment of the building? What relation is there between your work on the interior of the palazzo and the project you drew up for the adjacent «teatrino», which is a significant «appendage» to Massari's original building?

TA The Palazzo Grassi renovation was started in the summer of 2005 and opened in the spring of 2006. The plan of this project was to renovate a building of the late eighteenth century and convert it into a contemporary art museum, where I was requested by Mr. Pinault to do minimum refurbishment. Due to stringent restrictions, I removed decorations that had been added during previous renovations to recover the original design by Giorgio Massari and added very minimal new elements. In this project, I pursued the theme of the clash and encounter between the old and new (historical architecture and contemporary art). The «teatrino» is a subordinate project of Palazzo Grassi and the renovated building will be used as a gallery and lecture hall. Since the Punta della Dogana's construction started, we provisionally suspended proceeding with this project.

FDC The work Pinault has commissioned in Venice is rather different in character to most of your construction projects. If I am not mistaken, before your work on Palazzo Grassi you had worked on the adaptation of an old building only once before – that is, in 1992-2000, when you did the designs for the Benetton Fabrica near Treviso. There, however, the historical structures you had to deal with were rather less significant in nature than those you had to tackle in Venice, when working on Palazzo Grassi and Punta della Dogana. Can you explain the differences in strategy you followed in these different circumstances? What were the essential decisions you had to take when approaching the work in Venice? And to what extent would you say those decisions are representative of the sort of approach contemporary architects should adopt when called upon to intervene in historic buildings? And finally, would you say that the experience acquired in working on the Benetton Fabrica bore new fruit in your work on Palazzo Grassi and Punta della Dogana (if I am not mistaken, you used the technicians and assistants that you had already encountered when working on the earlier project)?

TA Commissioned by Mr. Luciano Benetton, I visited the site of Fabrica for the first time in 1992. The aim of this project was to renovate and refurbish an old Palladian villa built in the seventeenth century and convert it into an art school for young spirited students from all over the world. Prior to Fabrica, I worked on some renovation projects in Japan. One of them is the Nakanoshima project aiming at the restoration of the «Nakanoshima Public Hall» built over ninety years ago in the centre of Osaka City on a delta of the Dojima River. The project was conceived as a symbol of «new energy» and consisted in inserting an abstract but organic oval-shaped hall called «Urban Egg» into the old building. Even though the project was unfortunately not realized, I have kept on supporting this idea of renovating the island through a range of different interventions and media. I have also realized some renovation projects of historical buildings, including the Oyamazaki Villa Museum in Kyoto and the International Library of the Children's Literature in Tokyo, where I tackled the theme of dialogue between history and modernity. Both the renovation for Palazzo Grassi and the Punta della Dogana were realized by the Italian people's pride and attachment to their own traditional culture and history. I always aimed at creating new spaces in dialogue with the existing historical buildings. This is also the case for Fabrica, where I took great care in reading and understanding the local history.

FDC What would you say were the most significant differences between the approach adopted when working on the refurbishment of Palazzo Grassi and the approach behind your designs for the redevelopment of the Punta della Dogana complex?

TA In the Palazzo Grassi renovation, I tried to create a new world within the limits of the framework of the existing building, by refining the building down to its original state and enhancing the space with a minimum of elements. On the other hand, in the Punta della Dogana renovation, to some extent I had more flexibility to design new spaces. My aim was to provoke a dramatic clash between the old and new by inserting a space confined in concrete walls inside the existing structure; an exercise that highlights the series of historical layers, bringing forth a sense of clarity and understanding, instead of covering or destroying history.

FDC In your designs for the Centre at Punta della Dogana what aspect of the old building did you try to exploit most fully?

TA It was indeed a very demanding project due to the stringent restrictions on the renovation, but now I think it was a challenging opportunity for me to pursue the objective of producing a space with a fresh spirit inside the old building.

FDC In designing the Centre at Punta della Dogana you did not know which works of art would be exhibited there. Of course, you were familiar with the Pinault collection, but not exactly which pieces would come to Venice. Given that they are works of contemporary art, one can easily envisage that they will all be rather varied «objects», differing substantially in size and in the sorts of techniques involved in their creation. How much did this point influence your project designs? To what extent do the exhibition spaces you have laid out exist independently of the works that will be exhibited within them?

TA We were not informed of the detailed plan of the art work to be displayed beforehand. However, it was not a big problem to design the exhibition spaces since we knew that art works by some thoughtful and authentic contemporary artist including Jeff Koons, Damien Hirst and Hiroshi Sugimoto would be exhibited inside.

FDC Given that you have already had various opportunities to design museums destined to house works of contemporary art, let me put the above question in more general terms: to what extent do you see your architecture as entering into a dialogue with works that are expressions of artistic experimentation? You favour the use of a few, well-chosen, materials – for example, exposed surfaces of smooth, polished concrete are a leitmotif of your buildings – whilst contemporary art draws upon a whole range of media and materials; it is envisaged in spatial terms that seem to result in it expanding, «invading» the space that one might say belongs to architecture proper. How do you envisage this contrast, and how do you react to it?

TA By inserting contemporary art, which is an entirely self-sufficient entity, into my architecture, a space with vitality will be created. I think this «chemistry» is more dramatic in the renovation projects of historical value.

FDC Do you see points of contact, of interchange, between the experimentation of contemporary artists and the work of contemporary architects? If so, could you identify them, discussing them with specific reference to your own work?

TA I always try to see and experience new art works. In particular, I never miss the latest works of today's representative artists such as Jeff Koons and Damien Hirst. Their ideas are really audacious and are always a stimulus for me. There are many contact points between contemporary art and architecture, especially since both are highly intellectual and creative activities. Nevertheless I have to acknowledge that there is a big abysm between both as well.

FDC Your architecture seems to be posited upon the repression of what we might call the «fear of repetition»; it highlights a certain stability of values, including tactile values and visual effects. In effect, it would seem to be the exact opposite of what one finds in a museum dedicated to contemporary art, which constitutes the very backbone of Francois Pinault's collection.

TA My approach in designing a museum is not to create a space suitable for exhibiting general contemporary art. As I mentioned earlier, outstanding contemporary art is a self-contained entity that creates its own world. In order to provoke a clash between the art and my architecture, I try to design the museum to exist as a separate entity, which corresponds with my own sensibility. I think a new culture is born when different viewpoints collide in one place.

FDC To what extent do you think you share the interests of such a passionate collector as François Pinault? What would you say were the reasons why you have become the favourite architect of a collector like him?

TA I don't know if I am Mr. Pinault's «favorite architect», but it seems to me that now he is in the spring of his life. I really sympathize with his mind-set of constantly trying to create a new world with passion. We share this attitude of always pursuing our own objectives.

FDC E.S. Welch argues that, in the first half of the fifteenth century, Filarete's discussion of the relationship that binds together patron and architect envisaged a virtual family of comprising «father-patron», «mother-architect» and «child-building». To what extent would you say such a family model of the relationship is still valid?

TA I do think the family model described by Filarete might still be appropriate nowadays. Building unquestionably implies a collaborative process based on communication, respect and trust. But more than a modern family model, of father, mother and child, I think a wider definition of family would be more precise. It should include grandparents, cousins and friends; the patron and the architect alone cannot procreate a building by themselves.

FDC Giovanni Rucellai, patron of Leon Battista Alberti, would give a very effective account of the aims of a patron in his Zibaldone: «There are two main things which men do in this world. The first is to invent and create. The second is to build». Do you think one can still identify men as driven by these aims?

TA Unfortunately the passion and drive of many people nowadays has been diminished and I don't think the very classic definition by Leon Battista Alberti reflects today's general dull identity. I personally think that creating architecture is a process of creating new worlds. It is a process that reflects one's sensibility. Architecture is neither something to be consumed nor a means of supporting the economy; it is in fact an expression of the authentic human need for creation.

FDC One last point I am curious about. Amongst your designs for the Punta della Dogana there is one clear quotation: the gates you designed for the large doorways giving onto the Grand Canal are veritable copies of those which Carlo Scarpa designed for the Olivetti shop in St. Mark's Square. Why did you decide upon this explicit tribute to Carlo Scarpa?

TA Carlo Scarpa was a revolutionary architect because he created his own architectural manifestation in a very illustrious, selective, and sensitive way. While effectively employing the Italian traditional stucco, stone, iron, and craftsman's skills, he tried to find new architectural manifestations. Without neglecting the past he skillfully preserved the different layers of history, and in the most creative and illustrious way he quoted and brought references from the past and even from other cultures. It is well known that he had a deep interest in Japanese culture and architecture, and I think he masterfully quotes it in his own work. This admiration might be similar to my own admiration for Italian architecture and cities. Scarpa was also very knowledgeable about the technical aspects of architecture and he selectively used a wide range of materials and technologies. The doors of the Olivetti shop aimed to display the capacity and quality of Italian craftsmanship. I have studied, and assimilated Scarpa's architecture and I am quoting his way of building a new world and attitude towards architecture.

FRANCESCO DAL CO
QUATORZE QUESTIONS.
TADAO ANDO
QUATORZE RÉPONSES.

FRANCESCO DAL CO **Vous êtes un architecte d'un certain renom, pouvez-vous nous raconter comment vous avez rencontré François Pinault pour la première fois? Et quel travail il vous a alors commissionné? Le connaissiez-vous déjà quand vous avez pris part au concours pour la construction du Centre d'art contemporain sur l'Île Seguin à Paris en 2001?**

TADAO ANDO **En 1996, le grand couturier Karl Lagerfeld m'a commissionné les plans de son studio et de sa maison à Biarritz. C'est un «artiste» très intéressant, doté d'une forte volonté. Quand je l'ai rencontré pour la seconde fois, il m'a demandé si cela m'intéresserait de projeter des caves à Château Latour, propriété de M. François Pinault. Même si le projet n'a pas été réalisé, la rénovation du domaine n'ayant pas été autorisée à cause de restrictions juridiques, il m'a donné l'occasion de faire la connaissance de M. Pinault.**

Peu de temps après, un concours international a été lancé pour le projet de la Fondation François Pinault pour l'art contemporain dans l'Île Seguin et j'y ai participé, aux côtés de Jean Nouvel, Rem Koolhaas et Steven Holl. Par chance, c'est moi qui ai gagné et j'ai poursuivi le projet avec M. Pinault.

FDC **En quoi l'histoire complexe de l'échec de la réalisation du projet de l'Île Seguin a-t-elle influencé vos rapports avec François Pinault?**

TA **L'abandon du projet dans l'Île Seguin a été causé par des incertitudes au niveau du plan d'exécution, dues à des problèmes administratifs de réajustements liés à la construction d'une route et du pont d'accès à l'île et à l'infrastructure. Vu que ce n'était la faute ni de M. Pinault, ni la nôtre, cela n'a pas eu de conséquence négative sur nos rapports et par conséquent, M. Pinault m'a généreusement invité à projeter la rénovation de Palazzo Grassi à Venise, deux semaines juste après l'annulation du projet dans l'Île Seguin.**

FDC **Après que François Pinault eut pris la décision d'acquérir Palazzo Grassi, quelles ont été vos instructions pour le projet de rénovation de l'édifice? Quel rapport y a-t-il entre votre travail à l'intérieur du Palazzo et le projet que vous aviez dessiné pour le «teatrino» contigu, «appendice» significatif du bâtiment original réalisé par Massari?**

TA **La rénovation de Palazzo Grassi a débuté durant l'été 2005 et l'ouverture a eu lieu au printemps 2006. Le plan du projet était la rénovation d'un building de la fin du XVIIIème siècle et sa conversion en musée d'art contemporain; M. Pinault me priait d'y faire une restauration minimale. Compte tenu de ces instructions rigoureuses, j'ai ôté les décorations ajoutées lors de rénovations précédentes pour revenir à l'œuvre originale de Giorgio Massari et** ajouté un nombre très restreint de nouveaux éléments. Dans ce projet, j'ai suivi le thème du conflit et de la rencontre entre l'ancien et le nouveau (l'architecture historique et l'art contemporain). Le projet pour le «teatrino» est subordonné à celui de Palazzo Grassi et le bâtiment rénové sera utilisé comme galerie et salle de lecture. Avec la naissance du projet de Punta della Dogana, nous avons provisoirement interrompu l'avancée de ce projet.

FDC Le travail commissionné par François Pinault à Venise est d'un caractère assez différent de la plupart des autres projets de construction. Si je ne me trompe pas, avant votre intervention à Palazzo Grassi vous n'aviez travaillé qu'une fois seulement à l'adaptation d'un ancien bâtiment – à savoir, en 1992-2000, quand vous avez réalisé le projet de la Fabrica Benetton près de Trévise. Là, cependant, la structure historique sur laquelle vous avez dû intervenir était d'une nature moins significative que celles auxquelles vous avez eu affaire à Venise en travaillant sur Palazzo Grassi ou sur Punta della Dogana. Pouvez-vous expliquer les différences de stratégie adoptée dans ces circonstances différentes? Quelles ont été les décisions essentielles que vous avez dû prendre dans votre méthode d'approche au projet vénitien? Et dans quelle mesure diriez-vous que ces décisions sont emblématiques de l'approche que les architectes contemporains devraient adopter quand ils sont appelés à intervenir sur des monuments historiques? Et, enfin, diriez-vous que l'expérience acquise en travaillant à la Fabrica Benetton a porté ses fruits dans votre travail à Palazzo Grassi et Punta della Dogana (si je ne m'abuse, vous avez fait appel aux mêmes techniciens et assistants rencontrés en travaillant sur le projet précédent)?

TA Sur commission de M. Luciano Benetton, j'ai visité le site de Fabrica pour la première fois en 1992. Le but du projet était de rénover et de restaurer une ancienne villa palladienne, construite au XVIIème siècle, pour la convertir en école d'art devant accueillir des esprits jeunes venus du monde entier y étudier. Avant Fabrica, j'ai travaillé sur des projets de rénovation au Japon. L'un d'entre eux est le projet Nakanoshima qui avait pour but de restaurer le «Nakanoshima Public Hall» construit il y a plus de 90 ans dans le centre d'Osaka sur un delta de la rivière Dojima. Le projet avait été conçu comme symbole d'une «nouvelle énergie» et consistait à englober dans l'ancienne construction un hall de forme ovale, organique et abstrait à la fois, appelé «Urban Egg». Même si le projet n'a malheureusement pas vu le jour, j'ai continué à soutenir l'idée de la rénovation de l'île par divers moyens et grâce à une série d'interventions. J'ai également

réalisé un certain nombre de projets de rénovation de monuments historiques, comme le Oyamazaki Villa Museum à Kyoto et la Librairie internationale de littérature enfantine à Tokyo, où je me mesuré au thème du dialogue entre histoire et modernité. Nous devons les rénovations de Palazzo Grassi et de Punta della Dogana à la fierté et à l'attachement du peuple italien à son histoire et à sa culture traditionnelle. Mon but a toujours été de créer de nouveaux espaces qui dialoguent avec les constructions historiques préexistantes. Cela a été aussi le cas pour Fabrica, où j'ai pris grand soin de lire et de comprendre l'histoire locale.

FDC Quelles ont été, selon vous, les différences les plus significatives entre l'approche que vous avez adoptée lors de votre travail de restauration de Palazzo Grassi et celle à l'origine de vos projets pour la rénovation du complexe de Punta della Dogana?

TA Pour la Rénovation de Palazzo Grassi, j'ai tenté de créer un nouveau monde dans les limites du cadre offert par le bâtiment existant, en le reportant à son état original et en mettant l'espace en valeur avec un minimum d'éléments. Par contre, pour la rénovation de Punta della Dogana, j'ai bénéficié, dans une certaine mesure, d'une flexibilité majeure pour pouvoir dessiner de nouveaux espaces. Mon but a été de provoquer une collision spectaculaire entre l'ancien et le nouveau en insérant à l'intérieur de la structure existante un espace délimité par des murs de béton; cet exercice met en évidence la succession des strates historiques, et apporte un sens de clarté et de compréhension à l'histoire au lieu de la recouvrir et de la détruire.

FDC Dans votre projet pour le Centre de Punta della Dogana, quels ont été les aspects du vieux bâtiment dont vous avez tenté de tirer le plus complètement parti?

TA Le projet a été vraiment très astreignant à cause des restrictions très sévères entourant la restauration, mais je pense maintenant qu'il m'a fourni l'occasion, stimulante, de me fixer comme objectif la réalisation d'un lieu à «l'esprit frais» à l'intérieur du vieux bâtiment.

FDC Quand vous avez dessiné le Centre de Punta della Dogana, vous ne saviez pas quelles œuvres y seraient exposées. Bien sûr, vous connaissiez la collection de François Pinault, mais ne saviez pas précisément quelles seraient les pièces qui viendraient à Venise. Vu qu'il s'agit d'œuvres d'art contemporain, on peut sans peine imaginer qu'il s'agira d'«objets» assez différents, variant substantiellement de par la taille et les techniques de création utilisées. Dans quelle mesure cet aspect a-t-il influencé votre dessin du projet? Dans quelle mesure les espaces d'exposition que vous avez

projetés existent-ils indépendamment des œuvres qui y seront exposées?

TA Nous n'avons pas été informés à l'avance du plan détaillé des œuvres d'art. Cependant, dessiner les espaces d'exposition n'a pas constitué un gros problème, puisque nous savions que les œuvres d'artistes contemporains sérieux et authentiques tels que Jeff Koons, Damien Hirst ou Hiroshi Sugimoto seraient exposés à l'intérieur.

FDC Vu que vous avez déjà eu à plusieurs reprises l'occasion de projeter des musées destinés à accueillir des œuvres d'art contemporain, permettez-moi de reformuler la question précédente en termes plus généraux: dans quelle mesure considérez-vous que votre architecture établit un dialogue avec des œuvres qui sont l'expression de l'expérimentation artistique? Vous privilégiez l'utilisation d'un nombre de matériaux sélectionnés et restreints – par exemple, des surfaces apparentes de béton lisse et poli constituent un des leitmotivs de vos constructions – alors que l'art contemporain fait appel à une large gamme de médiums et de matériaux; il est envisagé en termes spatiaux, qui semblent aboutir à son expansion, à son «invasion» de l'espace, et que l'on pourrait dire appartenir au propre de l'architecture. Comment imaginez-vous ce contraste, et comment y réagissez-vous?

TA En insérant l'art contemporain, qui est une entité totalement auto-suffisante, dans mon architecture, un espace de vitalité va se créer. Je crois que cette «chimie» est plus spectaculaire encore dans les projets de rénovation à dimension historique.

FDC Voyez-vous des points de contact, d'échange, entre les expérimentations des artistes contemporains et le travail des architectes contemporains? Si oui, pourriez-vous les identifier et nous en parler en vous référant plus particulièrement à votre propre travail?

TA J'essaye toujours de voir et d'appréhender les nouvelles œuvres d'art. En particulier, je ne manque jamais de voir les derniers travaux des artistes représentatifs d'aujourd'hui, comme Jeff Koons ou Damien Hirst. Leurs idées sont vraiment audacieuses et constituent toujours un stimulus pour moi. Il y a beaucoup de points de contact entre l'art contemporain et l'architecture, en particulier dans la mesure où ces disciplines constituent toutes deux des activités créatives et hautement intellectuelles. Néanmoins il faut bien que je reconnaisse qu'il y a aussi un abîme entre les deux.

FDC Votre architecture semble présupposer la répression de ce qui pourrait être appelé la «peur de la répétition»; elle met en évidence une certaine stabilité des valeurs, y compris des valeurs tactiles et des effets visuels. En fait, il semblerait qu'elle soit l'exact opposé de ce que l'on trouve dans un musée consacré à l'art contemporain, et qui constitue l'épine dorsale en quelque sorte de la collection de François Pinault.

TA   Mon approche quand je projette un musée n'est pas de créer un espace apte à exposer l'art contemporain en général. Comme je l'ai mentionné, l'excellent art contemporain est une entité qui se suffit à elle-même et qui génère son propre monde. Pour provoquer un impact entre l'art et l'architecture, j'essaye de dessiner le musée pour qu'il existe comme une entité séparée, qui corresponde à ma propre sensibilité. Je pense qu'une nouvelle culture naît quand plusieurs points de vue se rencontrent en un lieu donné.

FDC   Dans quelle mesure pensez-vous partager les goûts d'un collectionneur passionné comme François Pinault? Quelles ont été selon vous les raisons qui ont fait que vous soyez devenu l'architecte favori d'un collectionneur comme lui?

TA   Je ne sais pas si je suis «l'architecte favori» de M. Pinault, mais j'ai l'impression qu'il vit en ce moment le printemps de sa vie. Je partage vraiment sa volonté d'essayer constamment de créer un monde nouveau avec la passion. Nous avons en commun cette attitude de toujours poursuivre notre but.

FDC   E.S. Welch affirme que, au début du XVème siècle, Filarete, pour expliquer les rapporte qui lient le mandataire l'architecte, a créé une famille virtuelle avec le «père-mécène», la «mère-architecte» et le «fils-édifice». Dans quelle mesure diriez-vous que ce modèle familial du rapport en question est encore valable?

TA   Je pense vraiment que le modèle familial décrit par Filarete pourrait encore être valable aujourd'hui. Construire implique indéniablement un processus collectif basé sur la communication, le respect et la confiance. Mais plutôt qu'un modèle familial avec le père, la mère et l'enfant, je pense qu'une définition élargie de la famille serait plus juste. Elle devrait comprendre les grands-parents, les cousins et les amis; le mécène et l'architecte ne peuvent pas engendrer une construction à eux seuls.

FDC   Giovanni Rucellai, le mandataire de Leon Battista Alberti exprime de façon efficace dans le Zibaldone quelles sont les fins que recherche le mécène: «Il existe deux choses principales que font les hommes dans ce monde. La première est inventer. La seconde est édifier». Pensez-vous que nous puissions encore décrire les hommes comme mus par ces finalités?

TA   Malheureusement la passion et la motivation de beaucoup de personnes sont allées en décroissant et je ne pense pas que de nos jours la définition très classique de Leon Battista Alberti puisse refléter la terne identité générale. Personnellement, je pense que créer de l'architecture rentre dans un processus de création de nouveaux mondes. C'est un processus qui reflète la propre sensibilité. L'architecture n'est ni un bien de consommation ni un moyen de soutenir l'économie; c'est l'expression, en fait, d'un authentique besoin de création chez l'homme.

FDC   Un dernier point qui a éveillé ma curiosité; dans le projet de Punta della Dogana, il y a une citation limpide: les portes que vous avez dessinées pour les entrées donnant sur le Grand Canal sont de véritables copies de celles que Carlo Scarpa a dessiné pour le magasin Olivetti sur la place Saint Marc. Pourquoi avez-vous décidé de rendre cet hommage explicite à Carlo Scarpa?

TA   Carlo Scarpa était un architecte révolutionnaire, parce qu'il a créé sa propre expression architecturale de façon émérite, sélective et sensible. Tout en employant les matériaux italiens traditionnels, comme le plâtre, la pierre, le fer, et le savoir-faire des artisans, il chercha des moyens innovants de manifester l'architecture. Sans négliger le passé, il préserva habilement les différentes stratifications de l'histoire et, de la manière la plus créative et excellente qui soit, il cita et rapporta des références du passé et même d'autres cultures. L'on sait qu'il éprouvait un profond intérêt pour la culture et l'architecture japonaise, et je pense qu'il les a citées de façon magistrale dans son œuvre. Cette admiration pourrait être comparable à ma propre admiration pour les villes et l'architecture italiennes. Scarpa était aussi très savant des aspects techniques de l'architecture et il utilisa de façon sélective un large éventail de matériaux et de technologies. Les portes de la galerie Olivetti avaient pour but d'exposer les capacités et la qualité de l'artisanat italien. J'ai étudié et assimilé l'architecture de Scarpa et je rends ici hommage à son attitude envers l'architecture et à sa manière de construire un monde nouveau.

Referenze fotografiche

L'editore ringrazia Palazzo Grassi e lo studio Tadao Ando Architect & Associates per aver cortesemente fornito il materiale iconografico di questo libro, autorizzandone la pubblicazione.

E in particolare:

Graziano Arici: pp. 45, 52, 53, 58, 59, 61, 62, 63, 64, 65, 68, 69, 73, 78, 79, 80, 81, 83, 86, 87, 89, 90, 91, 92 a sinistra, 161, 162, 163, 164, 165, 166, 167, 168, 189, 191, 192, 193, 196, 198, 200 in basso, 201, 202, 203, 204, 205, 206, 208-209, 210, 213, 215, 216, 217, 218, 220, 221, 222-223, 224, 225, 227, 230, 232, 234, 235, 242-243.

Santi Caleca: pp. 82 in alto, 88 a destra, 92 a destra, 93.

Ugo De Berti: pp. 161, 165, 166, 168.

Ferruzzi Venezia: pp. 50, 51, 54, 55, 56, 57.

Andrea Jemolo (con la collaborazione di Roberto Ceccacci ed Eliana Pallisco): pp. 169, 170, 171, 172, 173, 174, 175, 176, 177, 178, 179, 180, 181, 182, 183, 184, 185, 186, 187, 194, 195, 197, 199, 200 in alto, 207, 211, 212, 214, 219, 226, 228, 229, 231, 233, 240.

Mitsuo Matsuoka: pp. 82 in basso, 84, 85.

ORCH - Fulvio Orsenigo e Alessandra Chemollo: pp. 66, 67, 101, 102, 103, 104, 188, 190, 236-237, 238, 239.

Micheline Pellettier: p. 88 a sinistra.

Alberto Anselmi: ottimizzazione disegni pp. 115-151.

Photographs

The publisher thanks Palazzo Grassi and Tado Ando Architect & Associates for having kindly provided the iconographic material for this book authorizing their publication.

Into details:

Graziano Arici: pp. 45, 52, 53, 58, 59, 61, 62, 63, 64, 65, 68, 69, 73, 78, 79, 80, 81, 83, 86, 87, 89, 90, 91, 92 left, 161, 162, 163, 164, 165, 166, 167, 168, 189, 191, 192, 193, 196, 198, 200 below, 201, 202, 203, 204, 205, 206, 208-209, 210, 213, 215, 216, 217, 218, 220, 221, 222-223, 224, 225, 227, 230, 232, 234, 235, 242-243.

Santi Caleca: pp. 82 above, 88 right, 92 right, 93.

Ugo De Berti: pp. 161, 165, 166, 168.

Ferruzzi Venezia: pp. 50, 51, 54, 55, 56, 57.

Andrea Jemolo (with the collaboration of Roberto Ceccacci and Eliana Pallisco): pp. 169, 170, 171, 172, 173, 174, 175, 176, 177, 178, 179, 180, 181, 182, 183, 184, 185, 186, 187, 194, 195, 197, 199, 200 above, 207, 211, 212, 214, 219, 226, 228, 229, 231, 233, 240.

Mitsuo Matsuoka: pp. 82 below, 84, 85.

ORCH - Fulvio Orsenigo and Alessandra Chemollo: pp. 66, 67, 101, 102, 103, 104, 188, 190, 236-237, 238, 239.

Micheline Pellettier: p. 88 left.

Alberto Anselmi: optimization of the drawings pp. 115-151.

Crédits photographiques

L'éditeur remercie Palazzo Grassi et le bureau Tadao Ando Architect & Associates pour bien avoir voulu fournir le matériel illustrant ce livre, en en autorisant la publication.

En particulier:

Graziano Arici: pp. 45, 52, 53, 58, 59, 61, 62, 63, 64, 65, 68, 69, 73, 78, 79, 80, 81, 83, 86, 87, 89, 90, 91, 92 à gauche, 161, 162, 163, 164, 165, 166, 167, 168, 189, 191, 192, 193, 196, 198, 200 en bas, 201, 202, 203, 204, 205, 206, 208-209, 210, 213, 215, 216, 217, 218, 220, 221, 222-223, 224, 225, 227, 230, 232, 234, 235, 242-243.

Santi Caleca: pp. 82 en haut, 88 à droite, 92 à droite, 93.

Ugo De Berti: pp. 161, 165, 166, 168.

Ferruzzi Venezia: pp. 50, 51, 54, 55, 56, 57.

Andrea Jemolo (avec la collaboration de Roberto Ceccacci et Eliana Pallisco): pp. 169, 170, 171, 172, 173, 174, 175, 176, 177, 178, 179, 180, 181, 182, 183, 184, 185, 186, 187, 194, 195, 197, 199, 200 en haut, 207, 211, 212, 214, 219, 226, 228, 229, 231, 233, 240.

Mitsuo Matsuoka: pp. 82 en bas, 84, 85.

ORCH - Fulvio Orsenigo et Alessandra Chemollo: pp. 66, 67, 101, 102, 103, 104, 188, 190, 236-237, 238, 239.

Micheline Pellettier: p. 88 à gauche.

Alberto Anselmi: optimisation des plans pp. 115-151.

Questo volume è stato stampato per conto
di Mondadori Electa S.p.A. presso
lo stabilimento Mondadori Printing S.p.A.,
Verona, nell'anno 2009

This volume was printed for Mondadori Electa
S.p.A. at Mondadori Printing S.p.A., Verona,
in 2009

Ce volume a été imprimé pour le compte de
Mondadori Electa S.p.A. par la typographie
Mondadori Printing S.p.A., Verone, en 2009